12,50
D0349170

KATTENMAN

Karel Verleyen
Kattenman

Vanaf 10 jaar

Beukenlaan 8, 9250 Waasmunster
foon: 052/46.24.07 fax: 052/46.19.62
website: www.abimo-uitgeverij.com
e-mail: info@abimo-uitgeverij.com

Eerste druk: februari 2004

Cover en illustraties
Gunter Segers

Vormgeving
Marino Pollet

D/2004/6699/01
ISBN 90-59321-33-2

kattenman

KAREL VERLEYEN

[1]

De mist had de flatgebouwen aan de overkant van de roeivijver opgeslokt. In de verte werd de stad grommend wakker. Uit het linkse flatgebouw kwam een man naar buiten. Hij droeg een pet en een donkerblauwe jekker. In zijn linkerhand hield hij een wat verfomfaaide boodschappentas. Lieze en Joren zagen hoe hij naar rechts en naar links keek voor hij de laan overstak. Aan de overzijde van de laan trapten twee jonge kerels met bontgekleurde motorhelmen en halfhoge laarzen onder hun gebleekte jeans hun bromfietsen op gang. Lieze en Joren konden de motoren horen knetteren. Gierend schakelden de jongens in een hogere versnelling. De man bevond zich midden op de rijweg toen de bromfietsen hem links en rechts voorbijschoten. Een van de jongens boog zich over zijn bromfiets en rukte brutaal de boodschappentas uit de hand van de man. Een pannetje kletterde op het asfalt. Een fles leek uit elkaar te spatten.
Wat de man zei, konden Lieze en Joren niet verstaan, maar

dat hij woedend was, dat zagen ze. De brommers verdwenen om de hoek.
'Zag je dat?' vroeg Lieze.
'Wat dacht je? Ik ben niet blind, hoor!' antwoordde Joren.
Ze stonden in pyjama voor het raam van de flat op de vierde verdieping van net zo'n torenflat als de zes andere die in de buurt van de roeivijver waren gebouwd. De Torenwijk was een wat vreemde buurt. Tegenover het flatgebouw waar de kinderen woonden, stonden nog gewone huizen. Er liep een straatje tussendoor, dat uitkwam op een stuk braakliggende grond. Daar had nog een achtste torenflat moeten komen, maar om de een of andere reden was dat plan opgeborgen. Naast de roeivijver was een speeltuin. Een dode arm van een rivier sloot aan op de roeivijver. Daar lagen een stuk of vijf woonboten aangemeerd.
'Een echte overval!' zei Lieze opgewonden.
'Ja', knikte Joren. 'En moet je kijken, ze hebben de tas gewoon weggegooid.
Lieze rukte de balkondeur open en stapte naar buiten. Het was vochtig koud. Diep onder haar zat de man op zijn knieën. Hij schraapte iets met zijn vingers bij elkaar in het pannetje. Daarna schoof hij met zijn schoenpunt de scherven van de gebroken fles in de goot van de middenberm. In de fles had melk gezeten. Nu lag er een onregelmatige, stervormige witte vlek op het asfalt.
'Ken jij die bromknullen?' vroeg Lieze aan Joren.
'Waarom zou ik ze moeten kennen?'
'Je bent toch een jongen? Niet heel groot, maar toch een jongen.'
Joren zuchtte. Die zus van hem had altijd een antwoord klaar.
'Nee,' zei hij, 'ik ken ze niet, maar heb je hun jacks gezien?'

'Ik keek naar wat er met die man gebeurde', zei Lieze. 'Wat was er met die jacks?'
'Er stond een slang op hun rug. Ik denk dat die jongens bij de Snakes horen.'
Lieze zette grote ogen op. Ze deed een stap naar achteren en sloot het raam.
'De Snakes?'
Joren zuchtte. Iedereen was bang voor de Snakes.
'Alleen Peter is niet bang voor ze', zei hij. 'Hij staat soms met ze te praten.'
Lieze zei niets meer. Ze voelde zich helemaal niet lekker meer, ook al droeg ze een pyjama waarop in stoere letters **BOY** geschreven stond. De pyjama was vorig jaar nog van Joren geweest, maar Joren was gegroeid en mama was zuinig.
'Ben jij echt bang?' vroeg ze ten slotte.
'Niet als ik hier ben', zei Joren. 'Buiten… daar wel. Die Snakes zijn echt wel gevaarlijk. Als ze je zien, komen ze rond je staan en pakken ze alles af wat je hebt. Weet je nog, die hippe zonnebril van Werner? Afgepakt en zomaar op de grond gegooid. En daarna stuk getrapt. En van Margo...'
'Pakken ze ook dingen af van meisjes?'
Joren knikte vol overtuiging.
'Margo had net een bakje friet gekocht. Ze pakten het haar af en gooiden het op de grond. En friet die op de grond heeft gelegen, kun je niet meer opeten.'
'Nee?' vroeg Lieze.
Een gevoel van ongerustheid bekroop haar, terwijl ze dacht aan de vier heerlijke happen friet die ze drie dagen geleden uit een vettig bakje had gevist dat iemand had laten staan bij de bushalte.
'Wat zei je?' schrok ze uit haar gedachten op.

'Dat we tegen ze moeten vechten. Allemaal samen. Iedereen. Jij wilt zeker niet?'
Lieze antwoordde niet meteen. Ze keek weer uit het raam. De man was verdwenen. 'Hij is door het vergeten straatje gegaan', merkte ze op.
'Weet je dat zeker?' vroeg Joren.
Lieze knikte.
'Heel zeker?' vroeg hij nog eens.
'Waarom vraag je dat? Is dat dan belangrijk?'
Ze fronste haar wenkbrauwen. Was er iets met het vergeten straatje? Iets wat zij niet wist?
'Wie in dat straatje komt, krijgt heibel. De Snakes hebben daar hun hol.'
'Hun wat?'
'Hun hol! Zo noemen ze het zelf. Eigenlijk is het gewoon een oud huis.'
Lieze keek haar broer bijna bewonderend aan.
'Ben jij er al geweest?'
'Ben je gek? Natuurlijk niet, maar ik weet wel dat het er is. Alle jongens weten dat. Peter ook.'
'Dat is niet eerlijk!' gilde Lieze.
Hun vader kwam geeuwend de kamer binnen en fronste meteen zijn voorhoofd.
'Ruzie? Dat menen jullie niet, toch niet tijdens het weekend?'
Lieze glimlachte. Papa droeg een donkerbruine kamerjas en zijn bleke, harige benen staken in versleten pantoffels. Zo vond ze hem het mooist, veel 'vaderder' dan in zijn keurige pak met das dat hij moest aantrekken voor zijn werk op de bank.
'Nee hoor, geen herrie, we zijn gewoon wat opgewonden...'
'We hebben net een overval gezien', vulde Joren haar aan.

'Ja, twee gangsters van de Snakes pakten een boodschappentas af van een man. Moeten we de politie bellen?'
'Niet nu, Lieze', kreunde papa. 'Niet nu!'
'Toch wel, papa! We hebben het echt gezien. Eerst stonden we bij het raam, en daarna stond ik op het balkon. En Joren weet waar het hol is van de Snakes, dat is Engels voor slangen, want ze hebben een slang op hun jack staan, en... en...'
Van opwinding raakte ze niet meer uit haar woorden.
'Juist', geeuwde papa nog maar eens, terwijl hij koffie in het koffiezetapparaat schepte. Na een kop hete, zwarte, stoere koffie zou hij het de wilde verhalen van zijn dochter misschien aankunnen.
'Eerst kleren aan, dan vertellen', zei hij, in een poging om tijd te winnen.
Toen knipperde hij met zijn ogen. Droomde hij toch nog? Liepen de kinderen echt zonder protest naar hun kamer om zich te gaan aankleden? Hij schudde zijn hoofd. Nooit bleef hij nog zo lang kaarten bij Jan. Nooit meer - tot de volgende keer.
De pittige geur van verse koffie stroomde zijn holle hoofd binnen. Hij knapte ervan op. Wat hadden de kinderen verteld? Een overval? Slangen in een hol? Tssss!

[2]

'Mogen we naar buiten?'
'We willen naar Peter. Het is Zaterdagzolder bij Peter.'
'Dan kunnen mama en jij rustig ontbijten.'
'Ik ruim alvast de tafel af en zet onze kopjes en schoteltjes in de vaatwasmachine. Zal ik de tafel voor jullie dekken?'
Lieze wist uit ervaring dat je met papa op zaterdagmorgen aan het woord moest blijven.
'Ja ja', zuchtte papa, die met een nieuwe inzinking worstelde. Ditmaal had hij meer nodig dan de geur van koffie alleen. 'Hoepel alsjeblieft op, loop niet te ver weg en trap niet op de staart van gevaarlijke slangen.'
Lieze keek haar vader aan. Maakte hij een grapje? Of was hij ook bang voor die bromknullen? Als dat zo was, moesten ze wel héél gevaarlijk zijn.
'Kom,' zei Joren opeens gehaast, 'we gaan naar Peter.'
Samen holden ze de trap af. Dat was veel leuker dan met de lift gaan. Veel spannender ook. In het trappenhuis was het nooit echt licht, er hing altijd een spookachtige schemering.

Op de grijze, betonnen muren verscheen ook altijd weer graffiti. Soms werden er echte scheldoorlogen uitgevochten in fluorescerende woorden, die de conciërge van het gebouw steeds weer probeerde weg te poetsen.
'Durf jij door het vergeten straatje?' vroeg Joren. 'Het is de kortste weg. Door het straatje en dan door de jungle.'
'Natuurlijk,' zei Lieze, 'want ik ben een meisje.'
Joren snapte niet wat het ene met het andere te maken had, maar was wel zo slim niet verder te vragen.
'Kom dan!' zei hij. Hij stak rennend de laan over.
'Wie komt er nog meer?' vroeg Lieze toen ze bij het begin van het vergeten straatje stonden.
'Weet ik niet. We gaan iets met aardappels doen.'
'Wat?'
Liezes stemmetje sloeg over van afschuw. Aardappels? Lieze zag opeens pannen vol aardappels voor zich. Daarvoor moest ze toch niet naar de Zaterdagzolder? Die kon ze ook in de keuken van mama vinden. Nee, van Peter had ze echt wel iets leukers verwacht. Ze moest toch nog maar eens nadenken voor ze met hem trouwde. Hoewel. Veel tijd was er niet te verliezen, want er waren in de buurt genoeg meisjes die een oogje op hem hadden.
Peter was vierentwintig en nogal wat volwassenen vonden hem een tikkeltje vreemd. Hij zei iedereen vriendelijk goeiedag, maar met zijn lange haren en zijn eeuwige jeans leek hij wel een zwerver. Lieze en de andere kinderen vonden hem echter geweldig.
Peter woonde nog bij zijn ouders. Zijn vader was dokter. Hun huis stond aan de overzijde van de roeivijver op een soort eiland. Het hele eiland was tuin, zeg maar park, met grasvelden, struiken en bomen. Je kwam er via een stevige houten brug of langs de Lindenlaan, maar dat was ontzet-

tend ver als je niet met de auto kon. Peter reed altijd op een oude fiets. Hij werkte voor de stad, hij was wijkjongeren-coördinator. Een moeilijk woord dat de kinderen zelf niet konden onthouden. 'Zeg maar opperhoofd!' lachte Peter altijd.

Dat begrepen de volwassenen ook al niet. Ze vonden het ook vreemd van de dokter en zijn vrouw dat ze de kinderen van de buurt op vrije dagen en tijdens de vakanties in hun tuin lieten spelen. Ja, ook de vreemde kinderen. Waren die mensen dan niet bang dat die wildebrassen dingen zouden vernielen? En in de herfst en de winter was er op zaterdag steeds wat te doen op de zolder van hun huis. In het huis van een dokter nota bene! Dat was toch de kat bij de melk zetten! Zomaar aan vreemde kinderen laten zien wat je in je huis hebt. Voor hetzelfde geld vertelden die kinderen dat door aan hun grote broers of ooms en werd er ingebroken.

Veel ouders vonden het natuurlijk ook gemakkelijk. Zo hoefden ze zich geen zorgen te maken als zij zelf op zaterdagochtend gingen winkelen. Maar vreemd bleef het wel.

Ondertussen waren Lieze en Joren bij het vergeten straatje aangekomen. Ze zetten het op een rennen. Toen ze in de buurt van het hol van de Snakes kwamen, bleven ze veilig aan de overkant. Joren wees zo onopvallend mogelijk naar het huis. Ooit was het een statig pand geweest, nu leek het eerder een ruïne, net als de andere huizen in de straat. Ooit was het de bedoeling geweest dat in de Torenwijk alleen hoge flatgebouwen zouden komen. De huizen van het straatje waren toen bestemd voor de sloop. Het was echter allemaal anders gelopen. De onteigende huizen stonden er nog steeds, helemaal verkrot. Het huis waar de Snakes hun hol hadden, was het laatste in de rij. Ernaast lag een hoop stenen, verder was alles overwoekerd. Iedereen was dat gro-

te stuk braakgrond al gauw 'de jungle' gaan noemen. De natuur was er ondertussen ongestoord haar gang gegaan. Er liep nog één paadje tussen struiken, bramen, hoog gras, jonge berken en elzen die door de wind waren gezaaid.
's Avonds was het er gevaarlijk donker, maar overdag waagden de dapperste kinderen uit de woonblokken zich wel eens door de jungle. Het was nu eenmaal de kortste weg om bij het speelplein, bij de roeivijver of bij het huis van Peter te komen.
'Zouden de Snakes dit pad ook gebruiken om naar hun hol te gaan?' vroeg Lieze opeens. Haar blauwe ogen stonden ver opengesperd en bij haar mondhoek trilde iets.
'Die liggen nog in bed!' zei Joren. 'Die gaan 's avonds uit met echte meisjes. En ze drinken bier. Dat heb je toch wel eens gezien in de straat bij het station?'
Het kon Lieze niet overtuigen.
'En die twee die we vanmorgen hebben gezien dan?'
Liezes opmerking bezorgde haar broer een ongemakkelijk gevoel.
'Zeg, Lieze, waarom ben je zo bang dat ik er zelf ook bang van word?'
'Ik ben niet bang', protesteerde het meisje. 'Ik ben alleen voorzichtig.'
Plots bleef Joren staan.
'Weet je zeker dat die man vanmorgen door dit straatje is gegaan?' vroeg hij opnieuw.
Lieze knikte en krabde in haar haar. Ze vond het plan om door de jungle te lopen opeens niet meer zo geweldig. De man moest ook door de jungle zijn gegaan. Maar waar had hij dan naartoe gewild?
Joren leek een besluit te hebben genomen. Hij verdween al achter de eerste struik. Lieze kon moeilijk anders dan hem

volgen. Nog geen twintig passen verder liep ze al tegen zijn rug op. Joren leek wel vastgevroren. Met zijn handen voor zijn mond staarde hij naar de man die midden op het paadje op een linnen vouwstoeltje zat.
'Kom!' zei de man met een vreemde, hoge stem. 'Kom dan, Vlekkie.'
'Toe dan!' hijgde Lieze. 'Blijf niet staan.'
'Ik heet geen Vlekkie!' fluisterde Joren 'Ga jij maar.'
De man keek onverwacht op en glimlachte.
'Willen jullie hierlangs?' vroeg hij en stond op van zijn stoeltje.
Nu ze zo dichtbij hem stonden zagen Lieze en Joren dat hij erg bruin was, bijna chocoladebruin. Zijn ogen keken heel vriendelijk. Hij was ook erg groot en had brede schouders. Zijn rug hield hij kaarsrecht.
Toch had Joren het gevoel dat er iets niet klopte.
'Dag, meneer', zei Lieze.
'Je hoeft niet bang te zijn', zei de man, die hun ongerustheid leek aan te voelen. 'Ik zit hier te wachten op de katten.'
Hij wees naar het pannetje.
'Eten', voegde hij eraan toe.
Lieze voelde zich alsof een bokkige geit haar een dreun in haar maag had verkocht. Katten?
'Kom toch, Vlekkie', zei de man.
Plots piepte een wit-zwarte poezenkop tussen de takken van een struik uit. De kat liep waakzaam, met haar kop naar de grond gericht. Ze keek naar alle richtingen en bleef staan. Haar rechtervoorpoot zweefde in de lucht.
'Ga op je hurken zitten', glimlachte de man. 'Dan lijken jullie kleiner. Dan is ze niet meer bang en dan komt ze.'
Lieze en Joren zakten door hun knieën.
'Braaf, Vlekkie', fleemde de man. 'Braaf, kom toch!'

De poes dribbelde dichterbij. Toen zagen de kinderen dat de man wat uit het pannetje in een gebarsten bordje schepte dat voor hem op de grond stond. Knorrend van genoegen begon de poes te eten. Af en toe bewoog ze schichtig haar ronde kop en keek dan met haar geelgroene ogen naar de drie mensen die rond haar stonden. Haar staart zwaaide heen en weer.
'Er zijn vijf katten', zei de man. 'Vier ervan zijn al komen eten. Jammer dat ik nu geen melk voor ze heb.'
'We hebben gezien wat er gebeurd is', zei Lieze. 'Dat hebben die twee jongens op hun brommers gedaan, hè?'
De man knikte.
'Waar blijft de vijfde?' zei hij. Hij fronste zijn voorhoofd.
'Zullen we haar zoeken?'
Hij stond op en wees naar de struiken in de buurt. Hij had grote, maar toch slanke handen, handen die je niet zou verwachten bij een man met een pet en een rafelige boodschappentas. 'Meestal zit ze daar. Haar kleur is... zo.'
Hij legde zijn hand op het hoofd van Lieze en tikte op haar haren.
'Een rosse poes dus', zei Joren.
'Goud en kastanjebruin!' verbeterde Lieze hem.
'Oké, ros kastanjebruin', knikte Joren, die geen herrie wilde.
'Zoek je mee, Lieze?'
De man glimlachte opnieuw zijn bruine gezicht vol fijne rimpels. Toen zag Joren plots wat er was met de man. Hij was bruin, maar zijn ogen waren helblauw, blauwer dan die van zijn zus zelfs. Hoe kon dat?
Ondertussen was Lieze al tussen de struiken verdwenen.
'Poes, poes!' riep ze zachtjes, terwijl ze een soort zoengeluidjes maakte. Daar zag ze de poes al. Gek was het wel, het dier stond doodstil op haar achterpoten. Lieze wreef haar ogen uit. Dat kon toch niet? Ze zette nog enkele passen. Toen

begon ze te krijsen. De poes stond helemaal niet op de grond. Ze hing in een strop! Haar muil gaapte vreselijk en haar scherpe tandjes glinsterden wit.
Nooit eerder had Lieze zoiets vreselijks gezien als die dode, verhangen poes. Ze rilde over heel haar lijf en voelde hoe iets zuurs uit haar maag omhoog gulpte. Opeens stond er iemand naast haar.
'Lieze?'
De stem van haar broer. Toen greep een stevige hand haar bij haar schouder, zodat ze zich wel moest omdraaien. Het was de kattenman. Lieze hoorde hoe hij kreunde en meteen daarna onverstaanbare dingen mompelde. Hij liet Lieze los, knielde bij de dode poes en maakte de strop los. Zijn stem gromde dreigend diep in zijn keel en je hoefde niet eens de woorden te begrijpen om te weten wat hij bedoelde.
'De schoften. De smeerlappen.'
Hij hield de dode poes tegen zich aangedrukt alsof hij hoopte dat ze weer zou gaan bewegen, dat ze alleen maar had geslapen.
'Flora, mijn kleine Flora!' fluisterde hij.
Joren merkte dat er twee tranen over zijn gezicht liepen. Wat vreemd, zo'n grote man die huilde. Was het zijn poes? De poes van zijn kinderen?
De kattenman lette niet meer op Lieze of Joren. Hij slofte terug naar het paadje, naar zijn vouwstoeltje en zijn pannetje. Zijn rug was gebogen, alsof hij opeens iets heel zwaars moest dragen.
Rond het schoongelikte schoteltje zaten nu vier katten. Ze leken te wachten.
'Kijk!' zei de man terwijl hij op zijn stoeltje neerviel en de dode poes aan de vier andere katten toonde. 'Kijk!'
Lieze snikte zachtjes toen de vier dichterbij kwamen en aan

hun dode vriendje snuffelden. Toen leken ze te verstarren. Hun kop ging omhoog. Joren zag hoe de spieren zich spanden onder hun pels. Plots verdwenen ze in de struiken. Geluidloos. De kattenman stond op en draaide zijn hoofd naar links. Aan het eind van het paadje stond een jongen. Hij droeg een leren jack, jeans en korte laarzen.
'De katten voelen het. Ze zijn bang voor die schoften. Ze weten het gewoon als ze eraan komen.'
'De Snakes', zuchtte Joren. ' Niet alleen de katten zijn bang voor de Snakes.'
De man leek hem nauwelijks te horen.
'Die katten doen niemand kwaad. Ze lopen hier gewoon rond. En dan doen die schurken zoiets...' ging hij verder.
De jongen draaide zich om, liep het vergeten straatje in en verdween in het bouwvallige huis. Joren stond te trillen op zijn benen. Het liefst van al was hij nu meteen weggerend. Als die jongen hem had herkend, kon hij het ergste verwachten. Lieze leek niets te merken. Ze stond nog altijd bij de kattenman en keek toe hoe hij zijn stoeltje opvouwde en het pannetje en het gebarsten schoteltje in zijn tas stopte. Hij kwam in beweging en stapte weg. Hij keek nog één keer om. Lieze merkte dat hij opnieuw huilde.

[3]

Het bleef maar door Liezes hoofd spoken. De kattenman had gehuild. Meteen daarna liep hij weer rechtop, zwaaiend met zijn armen. Geheimzinnig was hij wel. Misschien was hij wel een spion. Ze zei het hardop.
'Een spion? Lieze, spionnen rijden in grote auto's en hebben trossen mooie meiden om zich heen. En ze dragen geen pet als ze katten gaan voederen.'
'Wat dragen ze dan wel?'
Joren begreep Liezes vraag niet echt.
'Nou, je zegt dat spionnen geen pet dragen als ze katten gaan voederen. Wat dragen ze dan wel?' legde ze uit.
Joren kreeg een hoestbui van het lachen.
'Kom mee', zei hij hees.
'Joren, hij is er weer!'
De stem van Lieze sloeg over. Joren draaide zich om. De jongen van daarnet stond naar hen te kijken, wijdbeens, met zijn handen in de zakken van zijn jeans. Onder zijn openstaande jack was een vlammend rood sweatshirt te zien.

Joren greep de hand van zijn zus en begon te rennen. Gelukkig hielden ze het vol tot ze bij het huis van Peter waren. Toen ze aanbelden, ging de deur bijna meteen open.
'Zijn jullie niet wat vroeg?' lachte Peter. 'Uit bed gevallen of zo?'
Lieze schudde dramatisch haar hoofd.
'We zijn gevlucht. We hebben iets vreselijks beleefd.'
Peter probeerde niet te lachen. Lieze beleefde altijd vreselijke dingen. Maar toen hij haar trillende lippen zag, wist hij dat het dit keer menens was. Joren keek ook al zo bang.
'Kom binnen en vertel me alles', zei hij snel. 'Alles, hoor. Niets vergeten.'
Je kon je zowat spiegelen in de vloer van de hal. En in de spiegel aan de muur zag Lieze zichzelf voorbijlopen. De trap naar de zolderverdieping was breed en nergens kraakte een trede.
De zolder was ooit de speelzolder geweest van Peter en zijn broers en zussen. In het dak zaten grote ramen die uitkeken op de tuin en het park. Aan de stevige balken hingen lampen. Er stonden lage banken langs de muur. In het midden stond een zware tafel waar je gemakkelijk met zijn dertienen aan kon zitten. Het leukst was de grote koffer vol gekke, oude kleren voor als ze toneel speelden. Helemaal achterin stond een kast waarin alle verfpotten, vellen papier, potloden, kwasten en potjes waren opgeborgen.
Lieze zuchtte opgelucht. Hier kon haar niets meer gebeuren, hier was ze veilig.
Toen schrok ze.
Ze wees naar de emmer vol stevige aardappels.
'Die zijn voor aardappelstempelen', zei Peter. 'We moeten gordijnen hebben voor de ramen. In plaats van die te kopen, maken we ze zelf. Dat is best leuk. Je zult het wel merken als

de anderen er zijn. Vertel me nu eerst maar eens wat voor vreselijks jullie beleefd hebben.'
Lieze en Joren deden opgewonden hun verhaal. Het duurde een poosje voor Peter er wat van begreep. Toen luisterde hij verbijsterd.
'Vreselijk!' zei hij achteraf. 'Lieze, nu heb je echt wat vreselijks beleefd.'
'Ik ook', zei Joren. 'Ik was er ook bij. En ik was het die door de jungle wilde gaan. Anders hadden we de man nooit gezien.'
'Jullie zijn allebei erg dapper geweest. Nu ja, die jongens van de Snakes. Ik...'
De bel rinkelde hard. De anderen kwamen eraan.
'Mondje dicht', zei Peter. 'Laat het ons geheim blijven. We lossen dit wel op, ik moet alleen nog eens goed nadenken hoe we het gaan aanpakken.'
Ze hoorden hem de trap afdonderen. Twintig tellen later zat de zolder vol met lachende en taterende kinderen: Margo en Werner, Katrien en Geert, die zo goed kon voetballen, Hassan en zijn zusje Laila, die een hummeltje aan de hand had dat nog niet kon praten, maar mooiere ogen had dan de mooiste pop, en Veerle van de commissaris. Allemaal wilden ze weten wat er op deze Zolderzaterdag zou gebeuren. Peter legde het uit.
'Wat gaan we op de gordijnen stempelen?'
'Een poes!' gilde Lieze boven alles uit. 'Een goud-met-kastanjebruine poes!'
Peter gaf haar een knipoogje.
'Bloemen?'
'Sterren?'
Niemand kwam met een beter idee dan de poes van Lieze. Peter deed voor hoe ze een aardappelstempel moesten snij-

den. Toen kregen ze allemaal een stevige knol en een potje verf en konden ze aan het schilderen, tekenen en kerven gaan.
Toen het middag was, hing het meest krankzinnig mooie gordijn dat ze ooit hadden gezien voor een van de ramen. Opgewonden ging de nog altijd druk kwetterende troep naar huis. Peter keek ze na en fronste zijn voorhoofd. Liepen Lieze en Joren helemaal om? De schrik zat er blijkbaar goed in. Het werd tijd dat de 'wijkjongerencoördinator' die Snakes een paar giftanden uittrok. Het vorige 'groepsgesprek' had blijkbaar niet veel opgeleverd.

[4]

De rest van de dag was Lieze opvallend stil. Meer dan één keer zat ze te dromen.

'Nee, ik droom niet, ik denk na', antwoordde ze toen mama een opmerking maakte omdat ze met haar elleboog in haar lege soepbord zat. Het bleef wel rustig in de flat, dus liet iedereen haar gewoon begaan.

'Ik zou willen weten waar de kattenman woont', zei Lieze 's avonds toen ze in de badkamer de laatste verfresten van haar vingers boende. Joren spoelde de tandpasta uit zijn mond.

'Hij kwam toch uit een van de flatgebouwen? Dus woont hij daar.'

Lieze schudde onzeker met haar hoofd. 'Ik heb er niet meteen aan gedacht, maar ik heb hem eergisteren al gezien. Hij liep rond op de boot.'

'Welke boot?'

'Een van de boten die op het water liggen. Je weet wel, ze liggen daar maar en...'

'Woont daar iemand?' vroeg Joren.
'Wist je dat dan niet? Jij weet ook niet veel, hoor.'
'Jij moet veel zeggen!' snibde Joren. 'Jij wist niet eens waar het hol van de Snakes was.'
Lieze antwoordde niet meteen. Ze was haar tanden aan het poetsen.
'Als we het zeker willen weten, kunnen we toch meteen gaan kijken?' spuwde ze toen.
Joren wist niet waar hij het had. Hij keek naar het gezicht van zijn zus in de brede spiegel. Had hij dat goed gehoord? Meteen? Had Lieze dat gezegd?
'Het is avond, Lieze.'
'Nog maar net', zei Lieze en ze haalde haar schouders op. 'Ik heb mijn kleren nog aan. Jij hoeft alleen maar je broek weer aan te trekken.'
'En mijn pantoffels.'
Joren besefte dat het stom klonk.
'We raken niet buiten zonder dat ze ons horen.'
'Toch wel', zei Lieze. 'Ik heb het al vaker gedaan. En toen heb jij zelfs niets gehoord.'
Joren geloofde zijn eigen oren niet. Als het klopte wat ze vertelde, had zijn jongere zus al heel wat meer beleefd dan hij.
'Ja hoor. Ik liep zomaar in mijn pyjama de straat op. Ik waaierde met mijn armen en de mensen dachten dat ik een elf was die danste in het maanlicht.'
'Je bent gek!'
Lieze grijnsde en fladderde door de badkamer.
'Zullen we dan maar?' vroeg ze onverstoorbaar.
Joren trok zuchtend zijn broek weer aan. Twee knikkers vielen uit zijn zak, tikten op de vloer en rolden onder de radiator. Lieze zette grote, boze ogen op en legde haar wijsvinger op haar lippen. Ssst!

Joren knikte hulpeloos. Hoe kwam het toch dat hij zich altijd onhandig voelde als Lieze bij hem was? Hij was ouder, maar hij kon haar nooit de baas.
In de huiskamer stond de televisie aan, de stem van een nieuwslezer had het alweer over een oorlog.
'Ssst!' deed Lieze opnieuw, terwijl ze langzaam, heel langzaam de deurknop omdraaide. Joren knikte alleen maar. Geen tien tellen later stonden ze in het trappenhuis.
'Het is hier akelig, vind je niet?' vroeg Lieze.
'Het is nog donkerder dan overdag, en dan is het hier al zo eng', zei Joren.
Ze stormden de trappen af. Er was niemand op straat, behalve een oud vrouwtje dat sloffend haar nog oudere hondje uitliet.
De kinderen renden langs de gevels van de immense flatgebouwen en staken het grasveld over met het beeld van een dikke dame die bronsgroen lag te slapen. Op de weg die rond de grote roeivijver liep, kropen de auto's achter tastende lichtvingers aan. Het was akelig stil. Overal in de flatgebouwen flikkerde een blauwig licht. Achter al die ramen keken nu duizenden mensen televisie. Terwijl het buiten zo spannend was.
'Kom mee', zei Joren. Hij holde al over het basketbalveld en de speeltuin met houten klimrekken. Ze liepen een bol bruggetje over. Daar lagen de boten. De eerste was een log, zwart binnenschip, dat aangemeerd lag voor een in de buurt verdwaald luxehotel.
'Zou hij daar echt wonen?' twijfelde Joren.
'Er brandt licht', zei Lieze. 'Zullen we aanbellen?'
'Een boot heeft geen bel. Of toch, een scheepsbel.'
Het water spiegelde donker. Een late eend gleed verontwaardigd kwakend het water in toen de kinderen dichterbij kwamen.

'Durf je?' fluisterde Lieze.
'Het was jouw plan, hoor!' snauwde Joren.
'Ik zou wel durven aanbellen, maar daarvoor moet je eerst over die plank. En ik kan niet tegen gewiebel.'
'We kunnen steentjes tegen het raam gooien', stelde Joren voor.
'Nee, kijk, er komt iemand.'
In de stuurhut bewoog een langgerekte schaduw achter dichtgeschoven gordijnen. Toen klapte het deurtje open. De kattenman kwam naar buiten. Hij had een emmer bij zich, waar een touw aan vast zat. Plomp, deed de emmer. De man keek niet eens om.
'Hij is het', fluisterde Lieze. 'Het is de kattenman. Zie je nu wel?'
De man droeg de volle emmer naar binnen.
'Ja, ik zie het,' knikte Joren, 'maar waarom woont hij op die boot?'
'Dat zullen we aan Peter vragen. Die weet heel veel.'
Ze draaiden zich om en holden weg. De man op de boot schoof het gordijntje weg en zag hen lopen.
Wat had dat te betekenen? Kwamen die rotjongeren hem nu ook al op zijn boot pesten? Wel, hij zou het ze wel eens inpeperen. Hij had er schoon genoeg van. Toen schudde hij zijn hoofd. Nee, deze twee hoorden niet bij de bende die de poes had vermoord.

[5]

De volgende ochtend deed het verhaal van de dode poes natuurlijk de ronde op school. Lieze vertelde het met zoveel smart in haar stem dat ook haar vriendinnen begonnen te huilen. Aan de andere kant van de speelplaats tekende Joren grote gebaren in de lucht. Als je van op een afstand keek, leek het wel alsof hij in zijn eentje een kleine oorlog moest uitvechten. Eén ding wisten de meisjes net zo goed als de jongens. De Snakes waren gevaarlijke schurken.
'Ik... ik ga... bij de Snakes!' zei Marcel.
'Ach man,' zei Bert, 'dat meen je niet. En als jij dat wilt, willen zij het daarom nog niet. De Snakes laten jou er niet bij. Je hebt niet eens een brommer.'
'Ik kan er altijd een jatten!' deed de kleine jongen stoer. 'Dan tel ik zeker mee. En wie mij wil tegenhouden, zal vroeg moeten opstaan. Ik kan nog meer zeggen...'
Niemand zou ooit vernemen wat Marcel nog meer te vertellen had. De bel klingelde iedereen naar de rij. En wanneer meester Rik in de buurt was, was praten na het belsignaal

nog gevaarlijker dan een robbertje vechten met de Snakes.
Toen Joren en Lieze na schooltijd met hun loodzware schooltassen voorbijsjokten, stonden vier opgeschoten jongens met leren jacks bij de speeltuin. Ze lachten hard en met overslaande stemmen, beukten met hun vuisten tegen elkaar en bogen zich daarna weer over een of ander geheimzinnig onderdeel van hun brommers.
'Daar!' fluisterde Lieze. Daar had je de kattenman. Hij stapte regelrecht op de jongens af.
Lieze en Joren bleven staan, bang en nieuwsgierig tegelijk. Jammer dat ze niet konden horen wat er gezegd werd. De kattenman was heel boos en de jongens stonden er als geslagen honden bij. Ze schudden hun gebogen hoofd, haalden hun schouders op en eentje tikte zelfs tegen zijn voorhoofd. Daarop begon de kattenman nog harder te schreeuwen.
Toen stapte hij toch verder. De jongens bleven nog één ogenblik stil. Toen de man een heel eind van hen verwijderd was, kregen ze weer praatjes.
'Kattenvreter!' brulde de langste van de vier.
'Oude gek! We zullen je katten allemaal doodslaan.'
'Poessie, poessie, kijk eens naar mijn loessie!'
Alle vier sloegen ze dubbel van het lachen. Lieze en Joren keken elkaar aan. Wat was er zo grappig?
Ze schuifelden aan de overkant voorbij, ze wilden zeker niet opvallen. Toen ze uit het zicht verdwenen waren, slaakten ze een zucht van opluchting. De Snakes waren gebleven waar ze waren.
'Ik zou wel eens willen weten wie de kattenman is. Iemand die op een boot woont en zwerfkatten te eten geeft, dat is toch wel vreemd, vind je niet?'
Joren knikte. En waarom was die man zo bruin?

[6]

'Het is weer herfst!' zuchtte een agent terwijl hij naar de uitgerukte rozenstruiken keek. 'In de herfst zijn er altijd gekken die dingen vernielen.'
Hij probeerde onhandig een rozenstruik weer rechtop te zetten en stampte de aarde eromheen aan.
'Het is die bende met hun brommers', snauwde een oudere man die een labrador aan de lijn had. 'Jullie zouden die beter een keertje oppakken. Ze denken dat ze alles mogen. Niemand die wat tegen ze zegt of die ze eens aanpakt.'
'Ach,' zei een andere man, 'wij hebben gemakkelijk kletsen. Wat moeten die jongens doen met hun vrije tijd?'
'Werken! Net zoals wij vroeger. Ik had geen tijd om gekheid uit te halen. Mijn vader...'
'Er is geen werk. Bovendien horen ze steeds maar dat de hele wereld één grote rotzooi is. Waarom zouden ze dan werken? Ze snappen best dat ze er niets aan kunnen doen.'
'Daarom moeten ze nog geen katten ophangen!'
De omstanders keken verbaasd naar het roodharige meisje

dat al de hele tijd van de een naar de ander had gekeken.
'Ja, echt! Ze hebben een kat opgehangen!' ging Lieze onverstoorbaar verder. 'En ze hebben de tas van de kattenman uit zijn handen getrokken en de fles met melk stukgegooid.'
De omstanders gromden.
'Ja, het is niet de eerste keer!'
'Die bandieten doen maar!'
'Als wij een keertje onze auto te lang laten staan, krijgen we meteen de politie achter ons aan.'
De agent tikte tegen zijn pet en liep terug naar de overvalwagen. Hij had geen zin in dit gesprek. Zulke discussies liepen toch altijd uit op herrie. En één ding had hij echt wel in zijn oren geknoopt: die bromnozems werden te brutaal.
Het vergeten straatje daverde intussen van het lawaai. De Snakes hadden hun motoren gestart. Lange Leo, een blonde slungel met een ring door zijn rechter neusvleugel, was zo ongeveer de zelfbenoemde aanvoerder. Hij had enkele leden van zijn clubje opgetrommeld.
'Wat gaan we doen?' vroeg Johnny.
'Katten vangen! Die ouwe gek heeft ons verrot gescholden omdat een van zijn rotbeesten in een strop is gelopen', snauwde Gert. Hij gaf nog wat meer gas.
'Zouden wij die beesten niet met rust laten?' vroeg Freddy. 'Ze doen ons toch niets?'
Lange Leo keek hem uit de hoogte aan. 'O nee? Doen ze ons niets? Echt niet?'
'Oké, oké, ik vind alles best', schokschouderde Freddy. Hij had geen zin in herrie met Leo. Die was nogal hevig en bovendien droeg hij altijd een mes bij zich.
'Goed dan. We kammen de hele rotzooi uit.'
Ze keerden hun motoren en reden naar de jungle. Daar parkeerden ze hun machines in een dubbele rij. Het werd stil.

'Helmen af!'
Lange Leo schouwde zijn troepen. Toen liepen de jongens het braakland op. Her en der klonk geritsel.
'Ik heb gehoord dat die katten weer wild worden. Ze vallen je aan als je te dicht in hun buurt komt', zei Paul opeens. Hij wreef met zijn handpalm langs zijn neus.
'Zeg dan meteen dat je het in je broek doet!' lachte Johnny.
'Hé, kijk daar!'
Zowat vijf meter verder zat een kat. Zwart met wit. Roerloos, in elkaar gedoken, staarde ze met half dichtgeknepen ogen naar de jongens.
'Leo! Hier zit er eentje!'
'Wel, pak ze dan!' brulde de aanvoerder van de Snakes terug.
'En wat doe ik er mee als ik ze gevangen heb?'
Er kwam geen antwoord. Iemand banjerde door de struiken naderbij.
'Gooi je jack eroverheen en pak ze. We nemen ze mee naar huis, zetten ze in de tuin en dan knallen we ze af met mijn geweer.'
'Haal dan je geweer en schiet ze hier dood', zei Paul, die het nog altijd niet zag zitten om verwilderde katten met blote handen te pakken.
'Modder in je kop, suflul? Hoe kun je nu hier, midden in de stad, gaan staan knallen?'
Intussen draaide de kat zich heel langzaam, heel gespannen om.
'Kijk uit! Ze gaat er vandoor.'
Met zijn drieën stormden de jongens vooruit. De kat was sneller. Ze glipte onder een struik en verdween.
'Schiet op!' snauwde Leo. 'Pak dat kreng!'
Maar geen van de anderen leek happig om een wilde kat zonder handschoenen aan te pakken. Zelfs met handschoe-

nen leek het nog gevaarlijk. In elk geval gevaarlijker dan een bakje friet af te nemen van een meisje of een oude man te beroven van zijn tas. Leo grijnsde vals. Hij zou die twee wel eens laten zien waarom hij de leider van de Snakes was.
'Die kant op, jullie. Alles wat je ziet, drijf je naar mij toe.'
Dat vonden de anderen een beter plan. Zo konden ze tenminste eerst zien hoe je met zo'n beest omsprong.
Wat later kregen ze weer een kat in het oog. Ze zwaaiden met hun armen, riepen, schopten struiken uit elkaar en omsingelden het angstige dier, een gestreept exemplaar met een gescheurd oor.
'Leo! Daar komt er eentje!'
De kat maakte verschrikte sprongen naar links, draaide zich om, ging naar rechts, maar altijd weer was er een van de jongens die haar terugdreef. Het dier voelde hoe het in het nauw werd gedreven en zette zijn nekharen op. Het blies hijgend, zwiepte met zijn staart en legde zijn oren plat. De scherpe hoektanden blikkerden. De kat schoot tevoorschijn op nog geen meter van Leo. Opeens voelde die zich ook niet meer zo zelfverzekerd. Maar hij kon niet terug.
'Ksss!' deed hij, terwijl hij met zijn rechterhand naar de kat grabbelde.
Die zette haar rug op en krabbelde schuin achteruit. Met haar opgetrokken lippen en dikke staart zag de kat er tegelijk zielig en gevaarlijk uit. Nog altijd bleef ze krassend blazen. Opeens sprong Leo vooruit en graaide de kat bij haar nekvel. Het dier miauwde kort, draaide zich om, maakte vechtend een koprol en klauwde. Leo vloekte, maar liet niet los. Hij rukte het spartelende dier van de grond. Meteen kreeg hij een nijdige haal over zijn neus.
'Getver, klotekat!'
Met een zwaai gooide Lange Leo de poes van zich af. Haar

klauw had zijn oog op een haar na gemist. Er parelde bloed op drie rode striemen.
'Kom mee!' blafte hij naar de anderen. 'We lossen het wel anders op. Die smerige teringkatten!'
Een halfuur later waren de Snakes terug. Ze hadden lange stokken bij zich met stevige spijkers aan het uiteinde.
'Je mept ze waar je ze kunt raken!'
Leo zag er intussen vreselijk uit. Waar de kat hem had geraakt, was zijn gezicht gezwollen. Nu ze hem zo zagen, hadden de andere Snakes niet meteen veel zin om opnieuw achter de wilde katten aan te gaan. Maar ze voelden er ook niets voor om dat tegen Leo te zeggen en dan te worden uitgescholden voor watjes. Voor de rest van de tijd de lafbek van de bende zijn? Nee, dank je.
Net toen ze met hun klopjacht begonnen, liep Lieze langs de rand van de jungle. Ze was in gedachten verzonken. Opeens schrok ze op. Haar hart leek uit haar borst te willen springen toen ze snapte wat er gebeurde. De Snakes probeerden de katten dood te slaan! Ze moest iets doen! Maar wat? Naar Peter hollen? Dat lukte niet met die zware schooltas. En wat als Peter niet thuis was? Nee, ze kon beter... De kattenman roepen? Nee, ze moest eerst naar huis, Joren optrommelen. Dan kon hij naar Peter en zij naar de kattenman.
Zonder op of om te kijken rende ze de straat over. Een automobilist moest hard op de rem gaan staan om haar niet aan te rijden. Hij toeterde, schudde woest met zijn vuist, maar Lieze keek niet om. Ze wachtte niet eens op de lift van het flatgebouw. Met twee treden tegelijk rende ze naar boven.
'Joren! Joren! Ze willen de poezen...'
'Hé, hé, is er ergens brand? Kalm maar! Wat is er nu weer aan de hand?'
'De Snakes proberen de katten van de kattenman te pakken.

Ze hebben lange stokken. Met spijkers erin. En ze zijn met… o, ze zijn wel met honderd!'
Mama zuchtte. Wat moest ze met dat kind van haar aanvangen? Altijd weer kwam Lieze met krankzinnige verhalen aanzetten. Nu was het weer iets over slangen en katten.
'Lieze, doe me een plezier en maak eerst je huiswerk.'
'Mama, dat kan niet! We moeten naar Peter. Nu. En naar de kattenman. Elk een kant op.'
'O nee,' zei mama, 'dat moeten jullie niet. Je moet wel aan die tafel daar gaan zitten met je boek en je schrift. En je moet sommen maken.'
'Mama!'
'Lieze!'
Lieze begreep dat ze geen kans maakte. Met haar moeder was ook geen land te bezeilen. Werden grote mensen elke dag dommer? Verschrompelden hun hersenen soms?
Ze smakte haar schooltas op tafel, sleurde haar sommenboek eruit en begon met een donker gezicht te berekenen hoeveel prikkeldraad boer Sander nodig zou hebben om zijn weide af te zetten.
Moeder liep de woonkamer uit.
'Wat is er?' siste Joren, die het tot nu allemaal kalm had bekeken.
'De Snakes jagen op de katten. Met zulke lange stokken. Ze willen ze doodslaan!'
'Nee!' hijgde Joren.
'Ja, toch wel!'
'Zeg eens, jullie twee, dat noem ik geen huiswerk maken.'
De kinderen hadden haar niet eens horen aankomen. Mama ging mee aan tafel zitten.
'Verdomme!' dacht Lieze.
Had mama die gedachte vloek gehoord? Ze keek nog stren-

ger. Lieze deed alsof ze rekende. Wat was dat toch met mama? Moest ze net nu een aanval van 'moederschap' krijgen? Moederschap was het ergste wat een moeder volgens Lieze kon hebben. Het betekende dat ze een jurk aan moest trekken voor een bezoek aan oma. Het betekende dat moeder achter haar oren keek om te zien of ze zich ook daar had gewassen. Het betekende dat moeder al haar huiswerk nakeek, dat er netjes moest worden geschreven, dat... ach, een en al ellende. Mama kreeg die aanvallen meestal enkele dagen na een slecht rapport.
'Je weet,' zei mama plechtig, 'dat je cijfers vorige week helemaal niet waren wat we van een verstandig kind als jij mogen verwachten?'
Lieze knikte. Bij zulke dingen moest je gewoon knikken. Proberen uit te leggen dat de juf altijd precies die dingen vroeg waar je niet zeker van was? Zeggen dat het de juf geen barst kon schelen hoeveel je wél wist? Dat lukte toch niet. Maar mama was nog niet klaar.
'Ik heb net je kamer opnieuw toonbaar gemaakt, Lieze.'
Lieze hield haar adem in. Ook dat nog!
'Het rook er als op een mestvaalt, Lieze.'
'Ja, mama.'
'Waar komt die witte muis vandaan?'
'Van Anja. Ze had er te veel.'
Joren waagde het om op te kijken. Een witte muis? Hoe had Lieze dat nu weer voor elkaar gekregen?
'En dus moet jij er eentje mee naar huis brengen, dat beest in een koffer stoppen...'
'Ik kon ze toch niet in een doos steken!' protesteerde Lieze. 'Die knaagt zo'n beest meteen stuk. Margo had haar muis in een doosje gestopt in de klas.'
Joren begon al te grinniken.

'En toen heeft die muis er een gat in geknaagd en liep ze zomaar de klas in. De juf gilde en sprong in één wip op haar stoel.'
Joren sloeg zijn handen voor zijn mond.
'Gekheid!' snauwde mama. 'Vrouwen springen helemaal niet op stoelen als ze een muis zien. Dat is iets uit verhaaltjes.'
'Dan is onze juf geen vrouw. Ze ging zowat boven op het bord staan toen die muis aan haar stoelpoot snuffelde.'
Joren schaterde het uit.
'O goed,' zei moeder. 'Ik heb het oude aquarium van de zolder gehaald voor je. Maar jij zorgt dat de zomerspullen opnieuw in die klerenkoffer terecht komen. Netjes opgevouwen!'
Mama pakte haar tijdschrift weer op.
'Ik ben klaar!' zei Lieze enkele tellen later. Ze klapte haar schrift dicht.
'Nu al?'
'Ja,' zei Lieze, 'mag ik nu naar buiten?'
'Je kunt nog niet klaar zijn, Lieze.'
'Toch wel, mama! Wat kunnen mij boer Sander en zijn prikkeldraad schelen.'
Mama deed haar best om niet te glimlachen. Het lukte niet.
'En stel nu eens dat je later trouwt met een jongen van een boerderij?'
'Dan kan die best zelf uitrekenen hoeveel prikkeldraad hij nodig heeft, toch? Ik zal het hem vragen voor we trouwen. Goed?'
Mama had net gelezen dat je nooit boos moest worden op je kinderen, maar dat je met ze moest praten. Dus deed ze dat tot Lieze wanhopig haar boek weer opensloeg.

[7]

De jacht op de katten ging intussen verder, maar zelfs met de stokken was het geen succes. Als schaduwen glipten de dieren onhoorbaar weg tussen het gras en de struiken. Als ze de kans zagen, zochten ze een veilig heenkomen op de brokkelige muur van het huis waar de Snakes hun hol hadden ingericht.
'Haal toch je geweer', drong Freddy aan. 'Zo krijgen we ze nooit.'
'We kunnen het proberen met stenen?' probeerde Johnny.
Leo graaide een steen van de grond en gooide. De katten doken in elkaar op de muur en wachtten af.
'Hé daar, wat moeten jullie hier! Laat die katten met rust!'
'Daar heb je die oude gek weer', grijnsde Leo.
De kattenman kwam haastig aangelopen. Hij had zijn versleten boodschappentas weer bij zich.
'Wat heb jij te blaffen? Die katten zijn niet van jou', zei Leo pesterig.
Zonder nog naar iemand te kijken stapte de man op de aan-

voerder van de Snakes af, zette zorgvuldig zijn tas op de grond en gaf de jongen een draai om de oren. De anderen keken met open mond toe. Wat een dreun! De kattenman sloeg Leo gewoon van de sokken. Met een vloek krabbelde de jongen overeind en tastte naar de stok die hij had laten vallen.
'Geen sprake van!'
De kattenman had zijn voet op de stok gezet en raapte die nu zelf op. Hij verloor Leo geen seconde uit het oog.
'Als ik jullie nog één keer zie terwijl jullie de katten plagen, krijgen jullie allemaal een pak slaag. Begrepen?'
Leo haalde zijn schouders op en wreef over zijn wang.
'Ik krijg je nog wel', hijgde hij.
'Ik heb zijn tas!' gilde Gert opeens.
De kattenman draaide zich bliksemsnel om. Plagerig zwaaide Gert met de tas. Die hing half open. Het vouwstoeltje, het pannetje en de fles met melk vielen bijna op de grond.
'Geef hier!' snauwde de kattenman.
'Kom maar halen!'
Opeens leken de Snakes weer uit hun verdoving ontwaakt. Ze lachten pesterig en scholden de kattenman uit voor sukkel, ouwe zak...
Opeens, sneller dan iemand voor mogelijk had gehouden, sprong de kattenman op Gert af. Die kon maar net wegduiken voor de klauwende handen en rende dieper de struiken in. De kattenman ging achter hem aan. Hij zag bleek. Zijn ogen stonden hard en hij kneep zijn lippen op elkaar. Hij zou eens en voorgoed met die kerels afrekenen. Waar waren ze? Hij hoorde opeens overal om zich heen beweging. Zijn heup deed weer pijn, hij kon maar beter uitkijken.
'Hier ouwe! Hier is je tas!'
De kattenman brak door een struik.

De jongens waren alweer op de loop.
'Hier!'
'Nee, hier!'
De kattenman hijgde. Hij sloot eventjes zijn ogen, probeerde te horen waar het gerammel van het pannetje tegen de melkfles vandaan kwam. Toen sprong hij. Zijn rechtervoet gleed uit, raakte klem tussen de stukken van een oude muur. De kattenman viel. Een snerpende, bijtende pijn ging door zijn hele lichaam. Hij hoorde de jongens ergens verderop nog vaag schreeuwen. Toen werd het stil. Hij hoorde in de verte het verkeer van de stad grommen als een voorthollend reuzendier. Hij deed zijn ogen dicht.

[8]

'O goed! Goed! Hou op.'
Mama schoof het schrift van Lieze over de tafel.
'Ga dan nog maar een luchtje scheppen. Dat is gezond. Maar blijf niet langer weg dan een kwartier.'
'Hoe lang is een kwartier?' vroeg Lieze. 'Ik kan toch niet de hele tijd seconden lopen tellen?'
'Nee,' zuchtte mama. 'Kun je zien of het donker is of niet? Ja? Mooi. Zorg dan dat je thuis bent als het donker wordt.'
Dat vond Lieze best.
'Kom, Joren! We hebben niet veel tijd!'
Joren lachte een tikkeltje schaapachtig naar zijn moeder en holde toen achter zijn zus aan.
'Wat doen we?'
Hun voetstappen klonken hol op de betonnen trappen.
'Eerst gaan kijken of ze er nog zijn en dan Peter en de kattenman waarschuwen. Ze mogen de katten niet te pakken krijgen.'
Joren leek opeens aan het trottoir vastgelijmd.

'Je wilt toch niet met de Snakes gaan vechten?'
'Nee! Maar we mogen ze ook niet zomaar laten doen wat ze willen. Peter zal het wel oplossen.'
'Gaan we door de jungle?' vroeg de jongen ongelovig.
'Dat zien we nog wel. Schiet nou maar op of het is al donker voor we er zijn.'
Joren kreunde. Waarom liet hij zich toch altijd meeslepen door de gekke plannen van zijn zusje? Haar rode haren wapperden als een vlam achter haar aan. Goud en kastanjebruin? Het zou wat, haar haren waren rood. O nee, ze ging zowaar door de jungle. Was ze dan echt niet bang?
'Lieze! Lieze!'
Stampvoetend zag Joren zijn zus verdwijnen. Hij moest nu wel achter haar aan. Hij keek naar de lucht. In het stilletjes donkerende blauw stond een ster. Gelukkig maar.
'Joren! Waar blijf je toch?'
Lieze klonk heel opgewonden, net alsof ze iets had ontdekt. Of hadden de Snakes haar te pakken?
Blindelings stormde hij het paadje af. Niet nadenken, of hij werd doodsbang.
Joren vond zijn zus bij de dichte struiken. Ze had de versleten tas van de kattenman in haar handen. In de tas zaten een pannetje, een vouwstoeltje en een fles melk.
'Hoe komt die hier?' vroeg de jongen.
'Snap je dat niet? De kattenman is hier geweest, maar...'
'Hij heeft de tas hier niet neergegooid', maakte Joren haar zin af.
Ze keken elkaar aan. Toen hoorden ze iets vreemds. Achter de struiken kreunde iemand. Het bezorgde de kinderen kippenvel.
'Wat is dat?' fluisterde Joren.
Lieze haalde haar schouders op.

Ze luisterden opnieuw en gaven elkaar, zonder het te beseffen, een hand.
'Nu heb ik het duidelijk gehoord', fluisterde Joren. 'Er is iemand. Daar!'
Zijn trillende vinger priemde in de richting van een grote vlierstruik.
'Halen we Peter erbij?'
Lieze was nu ook ongerust. Geen wonder. Het gekreun klonk heel akelig.
'Help! Help!'
De stem klonk schor, maar had iets bekends. Joren nam voor één keer de leiding.
'We moeten gaan kijken', zei hij. 'Zelfs als het iemand van de Snakes is, zal die ons niet opeten.'
Ze worstelden zich tussen de struiken door.
'Help me alsjeblieft!'
Toen zagen ze de kattenman liggen. Zijn lijkbleke gezicht was vertrokken van de pijn.
'O!' schrok Lieze.
'Help me', kreunde de kattenman. 'Haal een dokter. Mijn been.'
'Ga jij Lieze', snauwde Joren. 'Ik blijf bij hem. Haal Peter en zijn vader. Die is dokter.'
Lieze verdween. Toen pas merkte Joren dat er vier katten in de buurt zaten, vier in elkaar gedoken katten die hem met grote ogen bekeken. Verbeeldde hij het zich of glimlachten ze naar hem?
'Heb je pijn?' vroeg Joren.
'Vreselijk.'
Er stonden zweetdruppels op het voorhoofd van de kattenman.
'Ik kan mijn voet niet losmaken. Mijn been is helemaal verwrongen.'

'De dokter komt zo', zei Joren. 'Ik durf je been niet aan te raken. De poezen zijn er ook.'
'Ja,' zei de man, 'ik heb ze gehoord en gezien.'
'We hebben je tas gevonden. We zullen de katten straks te eten geven.'
'Heel goed.' De kattenman tastte naar de hand van Joren.
Toen hoorde Joren het hoge gekakel van Lieze en de kalme diepe stem van Peter. Even later hoorde Joren ook de stem van de dokter. Achter de takken van de struik zag hij het scherpe schijnsel van een zaklantaarn bewegen.
'Zo,' zei Peter, 'hier zit je.'
Joren voelde hoe de hand van Peter door zijn haren woelde. Hij kreeg ook een schouderklopje van de dokter.
'Goedenavond, meneer.'
'Het is niet zo'n goede avond', kreunde de kattenman.
'Wat is er gebeurd?'
De kinderen luisterden verbijsterd naar het verhaal van de vechtpartij met de Snakes.
'Toen ik achter een van die jongens aan ging, raakte mijn voet gekneld tussen de stenen. Ik hoorde mijn been kraken.'
De dokter haalde zijn mobiele telefoon tevoorschijn en belde een ambulance.
'Geven jullie de katten nog te eten?' vroeg de kattenman.
Joren en Lieze gingen de tas halen. De katten waren alweer klaar met eten toen het blauwe zwaailicht van de ambulance de struiken spookachtig verlichtte.
'Dit is de sleutel van mijn boot', zei de man.
'Maak je maar geen zorgen. Ik haal wat spullen op en breng die naar het ziekenhuis', knikte Peter. 'Moet ik iets speciaals meebrengen?'
'Het boek dat ik aan het lezen ben. Het ligt op de tafel. *Mijn nieuwe wereld* heet het.'

'Komt voor elkaar. En we zorgen voor de katten.'
De mannen van de ambulance kwamen aangelopen met een brancard.
'Voorzichtig, jongens, het is een lelijke breuk.'
'Bedankt,' zei de kattenman nog toen de mannen hem behoedzaam over de struiken tilden. Hij wuifde naar Lieze en Joren.
'Hij heeft geluk gehad', zei Peter. 'Wat deden jullie hier op dit late uur? Hij had de hele nacht hier buiten kunnen liggen.'
'We wilden naar jou toe. De Snakes wilden de katten doodslaan. Ze hadden zulke stokken!'
'Altijd weer die Snakes', mompelde Peter. 'Ik moet nu echt eens met ze praten.'
'Jij blijft maar praten, jongen', zei dokter Demeester. 'Ik vrees dat het niet veel helpt. Die jongens voelen dat niemand echt wat tegen ze doet.'
'We moeten wat *voor* ze doen, niet tegen ze', antwoordde Peter. 'Ze hangen rond, ze hebben niets om handen en uiteindelijk doen ze domme dingen.'
'Dit kun je geen "domme dingen" noemen! Dit is veel erger! Ik vind dat je dit wel licht opneemt', snauwde de dokter. 'Maar goed, het is jouw werk.'
'Ik heb al een plannetje uitgewerkt met Jan en Gerrie. We moeten die jongens ergens onderdak...'
'Als je maar niet denkt, dat het in mijn huis kan! Je moeder heeft nu al haar handen vol met je kleuterschool.'
'We zijn geen kleuterschool, dokter!' gilde Lieze. 'We gaan een gordijnenfabriek beginnen. We drukken gordijnen voor je kamer en voor die van andere dokters.'
'Dank je,' lachte de dokter, 'ik heb jullie werk gezien.'

[9]

'Hallo? Jawel. Een ogenblikje. Ik roep de kinderen.'
Joren en Lieze keken elkaar aan. Telefoon? Voor hen? Mama kwam de kamer in met de draagbare telefoon. 'Peter Demeester vraagt naar jullie.'
Lieze was sneller dan haar broer en graaide de telefoon uit de handen van haar moeder.
'Met Lieze de Groote. Jawel, Peter. Wat kan ik voor je doen?'
'Praat toch gewoon, gekkie!' lachte Peter. 'Ik ga over een halfuurtje naar het ziekenhuis. Willen jullie mee?'
'Natuurlijk!' zei Lieze. 'Maar nu heeft boer Sander weer problemen met een stuk grond dat hij in vier moet verdelen. En het is niet eens een mooi vierkant.'
'Jammer dat het niet kan', zei Peter. 'zou het over een uurtje kunnen?'
'Ik weet het niet', zuchtte Lieze. 'Mama heeft nog altijd moederschap.'
Peter verslikte zich van het lachen.
'En als je nu eens een uur lang heel hard doorwerkt?'

'Een uur?' schrok Lieze. 'Dan heb ik de hele boerderij van boer Sander ondersteboven gerekend.'
'Geef me je moeder nog eventjes, Lieze. Ik zal...'
'Nee, nee! Ik begin nu te rekenen. Als alle sommen goed zijn, mag ik vast wel mee. Kom je ons dan boven in onze flat halen?
'Afgesproken. Tot over een uur dan!'
'Dag Peter!' brulde Joren, met zijn oor tegen de andere kant van de hoorn geplakt.
Lieze legde de telefoon zachtjes neer. Tja, nu moest ze doorwerken. Goed, ze zou wel eens kijken of het waar was dat ze echt goede hersens had als ze ze maar wilde gebruiken.
Een uur later had ze zichzelf en haar moeder verbaasd door drie vraagstukken op te lossen. Ze kon een lijst met Franse woorden opdreunen en in twintig Nederlandse zinnen het gezegde ontdekken.
'Zie je wel dat je kunt als je je best doet?' glunderde mama.
'Precies!' zei Lieze. 'Maar weet je, mama, dat je er duivels moe van wordt? Ik heb bijna hoofdpijn. Ik denk dat ik beter naar buiten ga.'
Gelukkig belde Peter even later aan.
'Eerst gaan we naar de boot van meneer Delarme en...'
'Heet hij Delarme?'
'Ja, is daar wat mis mee?' vroeg Peter.
'Ik vond kattenman veel leuker.'
'Hijzelf ook. Ik heb hem verteld dat jullie hem zo noemen.'
'En woont hij echt altijd op de boot? De eerste keer, de morgen van de overval, kwam hij toch uit een flatgebouw?' vroeg Joren.
'Daar woont een mevrouw die af en toe ook eten voor de poezen klaarmaakt. Die ochtend was hij het daar gaan ophalen.'
Mevrouw De Groote hoorde het allemaal met open mond aan.

'Peter, ik weet niet... Ik heb liever niet dat ze bij zoiets betrokken raken.'
Peter glimlachte.
'Het lijkt allemaal veel erger dan het is.We gaan niet met die jongens vechten of zo. We brengen meneer Delarme een bezoekje, meer niet. De kinderen kennen de man, hij heeft naar ze gevraagd.'
'En achteraf? Wat als die schoffies de kinderen zien en herkennen?'
Mama bleef nog altijd tegenspartelen.
'Ik denk niet dat je daar bang voor moet zijn. We lossen dat echt wel op, heel snel, beloofd.'
Mama zuchtte en haalde daarna haar schouders op.
'Geen gekheid, jullie twee, begrepen? Alleen maar op bezoek en meer niet.'
Lieze en Joren knikten.
'Ik houd ze wel in het oog, mevrouw. En ik zorg ervoor dat ze veilig thuiskomen.'
De twee waren de deur al uit. Op straat kwetterden ze als mussen in de lente. Ze werden pas stil toen ze de vier Snakes zagen die bij de hoek van het vergeten straatje rondhingen.
'Dat is de aanvoerder', zei Lieze. 'Die met de krassen op zijn muil.'
'Gezicht', verbeterde Peter haar. 'Zullen we ze goeiedag gaan zeggen? Dan kunnen we ze meteen vragen of ze de kattenman met rust willen laten.'
Het bleef eventjes stil.
'Ik durf', besliste Joren.
Met Peter in de buurt voelde hij zich veilig. Peter begon de laan al over te steken.
'Hoi!' zei hij. 'Mag ik jullie wat vragen?'
'Jurrrr!' zei een van de jongens.

Lieze keek naar zijn mond. Had hij een spraakgebrek of was het kauwgom?
'Als het maar geen geld is, dat hebben we zelf te weinig', zei Lange Leo.
'Geen geld. Het kost je niets. Ik wil jullie vragen om iets niet meer te doen.'
'Huh?' zei de eerste jongen.
'Ja, ik vraag jullie om die zwerfkatten met rust te laten en de man die voor ze zorgt niet meer te pesten als hij uit het ziekenhuis komt.'
Er viel een gespannen stilte.
'Welke man?' vroeg Lange Leo. 'Ik ken geen man in het ziekenhuis.'
'Toch wel,' glimlachte Peter, 'je kent hem wel, de man die voor de katten zorgt, daar bij die struiken. De man met de boodschappentas die een van jullie uit zijn handen heeft gerukt. De man die jou een oorvijg heeft gegeven...'
Lange Leo lachte vals.
'Die ken ik zeker niet. Niemand heeft mij een oorvijg gegeven.'
'Goed dan, de man die jullie achternazat op dat stuk braakgrond. Ken je die?'
Lange Leo had er genoeg van.
'Die katten daar zijn van niemand. Die zijn net zo goed van ons als van hem en we kunnen ermee doen wat we willen.'
'O, nee!'
Peter ging voor Lange Leo staan en tikte met zijn wijsvinger op de borst van de jongen.
'Als je die katten te eten wilt geven, vind ik dat best. Als je die dieren met stokken opjaagt, ben je een lafbek. En als je een strop gebruikt, ben je een misdadiger.'
Lange Leo slikte. Maar hij gaf verder geen krimp.
'Die rotkatten kruipen in ons huis. Dan stinkt het daar...'

'Dat is niet jullie huis!' snauwde Peter. 'En als het er stinkt, zal dat minder met de katten dan met jullie te maken hebben.'
Lieze tastte weer naar de hand van Joren.
'Is het soms jouw huis?' gromde Freddy, die zijn maatje niet in de steek wilde laten.
'Wie weet', zei Peter. 'Misschien is het inderdaad mijn huis en laat ik jullie door de politie oppakken als je er nog een voet binnenzet?'
Lange Leo grijnsde: 'Denk je nu echt dat je ons bang maakt?'
'Dat is helemaal niet de bedoeling. Het kan ook anders. Als jij nu belooft dat je die katten met rust laat.'
'Het zijn wilde katten. Kijk maar wat er gebeurt als ze je aanvallen.'
Hij tikte op zijn wang.
'Ze vallen niemand aan', zei Joren hees. 'Ik heb gisteren nog alle vier de katten gezien. Ze zaten vlak bij me en ze vielen helemaal niet aan. Er is nog nooit een kind aangevallen in de jungle.'
'Zolang je niet alleen kunt plassen, moet je je smoel houden!' snauwde Leo.
'Zij zullen voor de katten zorgen zolang de man die jullie het ziekenhuis in hebben gepest daar moet blijven. Dus laat je ze met rust en blijf je uit de buurt van de katten?'
'Voor mijn part snijden ze die vent in het ziekenhuis in brokjes kattenvoer. Gesnopen? En jij hoeft me niet te komen vertellen wat ik wel en niet kan doen.'
Leo balde zijn vuist en stak ze onder de neus van Peter. Er zaten ringen aan alle vingers.
'En toch zeg ik dat je ze met rust moet laten.'
'O ja?'
Leo wilde uithalen.
Bliksemsnel had Peter de vuist van de jongen te pakken. Zijn

vingers knepen eromheen en Leo's ogen werden groot van verbazing en pijn.
'Begrepen?' fluisterde Peter.
'Au, verdomme!' kreunde Leo, die lijkwit werd en langzaam op zijn knieën zonk.
'Nog een prettige dag verder.'
Peter liet los, draaide zich om en wenkte de kinderen. De Snakes keken hem sprakeloos na.
'Wow!' zuchtte Lieze toen ze een eindje uit de buurt waren. 'Jij durft!'
Ze keek snel achterom. De Snakes stonden nog altijd bij elkaar.
'Ach nee', zei Peter. 'Maar ik ben niet bang voor zulke kereltjes.'
Toen liepen ze het vergeten straatje in.
'Is dat hol echt jouw huis?'
'Nee, maar we denken er wel over om het te kopen.'
Lieze peuterde in haar oren en sloeg met haar vlakke hand tegen haar voorhoofd.
'Je bent gek!'
'Ja,' zei Joren, 'waarom zou je dat huis nu kopen? Je kunt daar toch niet gaan wonen! En er is geen zolder, zoals in jullie huis nu! '
'Zo'n huis koop je niet om er te gaan wonen. Mijn vader ziet het als een goede belegging. Maar dat is misschien te moeilijk om uit te leggen.'
'Probeer maar', zei Lieze. 'Ik kan nu al berekenen hoeveel boer Sander meer verdient als zijn graan 25 eurocent per vijf kilo meer kost.'
Peter moest alweer lachen.
'Nou, als mensen wat geld gespaard hebben, kopen ze daarmee een huis, een flat of een lap grond. Later verkopen ze

dat huis of die flat weer en krijgen ze er meer geld voor dan dat ze oorspronkelijk hebben betaald.'
'Gesnapt', zei Joren. 'Dus jij zou dat huis kopen en later weer verkopen en dan rijk worden.'
'Zoiets, ja', lachte Peter. 'Het huis is een krot. Er wordt gefluisterd dat de supermarkt die nu aan de laan ligt, wil uitbreiden. Daarvoor heeft ze de grond aan het vergeten straatje nodig. Dus kun je zo'n ruïne voor een prikje kopen.'
Lieze wilde nog zeggen dat de supermarkt het huis dan misschien zelf zou willen kopen, maar die tijd had ze niet meer.
De woonboot lag er verlaten bij. Op het water dobberden drie eenden.
'Is het leuk daarbinnen?' vroeg Lieze, die opnieuw wantrouwig naar de loopplank keek.
'Dat zul je zo zien.'
De loopplank wiebelde echt wel genoeg om haar een kriebelig gevoel in haar buik te bezorgen. Ze stonden op het smalle randje. Tussen de kade en de boot klotste oliekleurig water. Peter draaide de koperen sleutel om en gooide de geverniste deur open. Hij stapte als eerste naar binnen. Groot was de stuurhut niet. Het glimmende roer, de glanzend gepoetste koperen knoppen en de bloempot met vurig rode geraniums maakten het binnen vreemd gezellig.
'Hij woont daar beneden.'
Ze moesten een trapje met vijf treden af. Toen stonden ze opeens in een heel leuke woonkamer, met een fornuis, een tafel en vier stoelen, en een dressoir met foto's.
'Hé!' gilde Lieze. 'Moet je dit zien. De kattenman. Hij is soldaat!'
Ze pakte de foto van het dressoir en toonde hem aan haar broer. Joren knikte. Op de foto stond de kattenman in marine-uniform. Hij drukte zelfs de hand van de koning!

'Dat was nog de andere koning. Die met zijn bril.'
'Hij was blijkbaar niet zomaar een soldaat, maar een hoge piet!' zei Joren bewonderend. Hij wees op de strepen en krullen op de mouw van de kattenman.
'Juist,' zei Peter. 'Johan Delarme was fregatkapitein.'
'Daarom woont hij op een boot,' fluisterde Lieze.
'Kijk nog maar eventjes rond. Ik stop wat spullen in een tas en dan gaan we ervandoor.'
Op een andere foto zagen ze een jonge kattenman die zijn arm om de schouder van een glimlachende vrouw had gelegd. Ze stonden met zijn tweetjes achter een tuinbank. Op de bank zaten drie jongens en een meisje met krullen.
'Ze ziet er gek uit met die frutseltjes aan haar jurkje.'
'En die jongens. Ze hebben lange haren, net als meisjes.'
De kinderen liepen naar het klapdeurtje waarachter Peter was verdwenen.
'Hier slaapt hij', toonde Peter, terwijl hij de deurtjes open hield.
Ze zagen een bed en een kast. De zon viel schuin naar binnen door lage, langgerekte raampjes.
'Ik zou best op zo'n boot willen wonen', knikte Lieze.
'Koop er dan eentje. De boot wat verderop is te koop', glimlachte Peter.
Joren wist niet eens of hij een grapje maakte of het echt meende.
Peter sloot heel zorgvuldig de deur af. Na een kwartiertje wandelen waren ze bij het ziekenhuis. Peter liep zonder op of om te kijken door een glazen deur en stak een binnenpleintje over naar de liften. Die zoemden vriendelijk terwijl ze snel naar de derde verdieping gleden.
Ze liepen door een nogal schemerige gang met deuren die geschilderd waren in gebroken wit. Er liepen verpleegsters

rond in witte uniformen en andere in groene broekpakken. Een dokter haastte zich ergens heen terwijl hij een witte jas aantrok.
'Hier is het', zei Peter.
Een doffe stem riep dat ze binnen konden komen.
'Hé, jullie zijn het!' lachte de kattenman.
'Hoe gaat het met u?' vroeg Joren netjes. Lieze staarde met grote ogen naar het gipsverband dat rond het been van de kattenman zat. Het been werd door een ingewikkeld stel stangen, draden en katrolletjes schuin omhooggehouden.
'Gaat wel. Ik ben blij jullie te zien.'
Toen bleef het stil. Niemand wist blijkbaar iets te zeggen.
'We zullen goed voor de poezen zorgen', fluisterde Joren.
De kattenman knipoogde naar hem.
'Waar zijn jouw kinderen eigenlijk?'
Lieze had besloten op de man af te vragen wat ze al de hele tijd wilde weten.
'O! Hoe weet je... Nu, mijn kinderen zijn groot, getrouwd en wonen erg ver weg.'
'Je was soldaat, niet?' vroeg Joren. 'Toen ik je de eerste keer zag lopen, dacht ik het al. Je zwaaide zo met je armen.'
Hij sprong overeind en marcheerde naar de andere muur.
'Ze zijn met me mee op de boot geweest', legde Peter uit. 'Ze hebben de foto's gezien.'
'Ja,' zei de kattenman glimlachend. 'Ik was soldaat, bij de marine. En ik was een goede soldaat, zeiden ze.'
De kattenman leek eventjes weg te dromen. Zijn handen bewogen over het laken alsof ze iets zochten.
'Je moet meer dan een goede soldaat geweest zijn', zei Joren. 'Je kreeg een medaille van de koning. Die krijg je niet zomaar.'
'Mogen we nog kattenman wel zeggen?' vroeg Lieze.

[10]

Meer dan een halfuur luisterden de kinderen naar het verhaal van kapitein Johan Delarme. Hij wilde dat ze hem kattenman bleven noemen. De Kattenman. Met een hoofdletter. Zoals bij een echte naam.

Hij vertelde dat hij de zoon was van een blanke man en een zwarte vrouw. Hij was geboren in Afrika, maar was later met zijn ouders hiernaartoe gekomen.

'Daarom ben je zo bruin', knikte Lieze. 'Ik wou dat ik ook zo bruin was.'

De Kattenman lachte.

'Dat denk je maar. Niet alle mensen hier houden van een bruine huid zoals de mijne.'

Zijn vader was militair geweest en hijzelf had nooit aan een ander beroep gedacht. Hij was bij de marine gegaan omdat hij hield van de zee, van reizen. En hij had het leven prettig gevonden. Tot hij had moeten vechten in een oorlog. Nee, hij had er vroeger nooit bij stilgestaan dat zijn boot een wapen was, dat zijn mannen en hijzelf eigenlijk getraind waren om

andere mannen te doden. Pas in die oorlog had hij gezien wat de kanonnen van zijn boot konden aanrichten. Hij had genoeg gekregen van vechten, van dode mannen, vrouwen en kinderen, en had ontslag genomen uit het leger. Zijn kinderen waren intussen getrouwd. Een jaar was hij gelukkig geweest. Toen was zijn vrouw gestorven. Hij had zijn huis verkocht. Samen met een vriend had hij toen de boot gekocht, om wat rond te varen en dingen te gaan bekijken. Helaas, toen zijn vriend, de schipper, een keer alleen aan wal was, had die een ongeval gehad en was op slag dood.
'Toen was ik helemaal alleen. Ik heb de boot hier aangemeerd en ben hier gebleven.'
Het bleef lang stil.
'Ik kende geen mens in de stad en als ik met iemand wilde praten, keken ze altijd vreemd op omdat ik niet blank was en omdat ik op een boot woonde. Op een keer wandelde ik langs de plek waar de katten zitten. Een ervan was er erg slecht aan toe. Ik wist niet of het wat zou helpen, maar ik bracht haar melk en eten. Ik ging naar een dierenarts met haar en die gaf me pilletjes die ik haar moest geven. De poes knapte op, ze werd zelfs heel mooi...'
Het leek wel alsof de stem van de Kattenman uitdoofde.
'Het was Flora, de poes die in de strop is gestorven.'
Lieze snufte en wreef over haar ogen.
'Het duurde weken voor de andere katten bij me durfden te komen. Ze waren zo bang voor mensen. Ik wist niet wat er gebeurd was, maar ik kon het wel raden. Toen ze me vertrouwden, kwamen ze als ik riep. Het zijn mijn enige vrienden geworden.'
'En wij dan?' vroeg Lieze.
'Ja, jullie ook', glimlachte de Kattenman een beetje triest. 'Jullie ook.'

'Maar de Snakes niet', zei Joren.
Het gezicht van de Kattenman betrok.
'Niet alles tegelijk, Joren! We zullen het later nog wel over die jongens hebben. Laat de Kattenman nu maar rusten', zei Peter sussend.
'Die jongens zijn schurken', zuchtte de Kattenman. 'Als ik...'
'Nee,' zei Peter scherp, 'ze zijn niet echt slecht. Ze weten gewoon niet wat ze met hun vrije tijd moeten beginnen. Vroeger was het allemaal zo eenvoudig, maar nu? Niemand kijkt echt naar ze om. Ze hangen gewoon ergens rond en dan begint er eentje stoer te doen. Hij heeft een raam ingegooid, een handtas gepikt. De anderen willen niet achterblijven. Dan is er altijd wel eentje die wil bewijzen dat hij nog meer durft en zo krijg je natuurlijk gedonder.'
De Kattenman legde zijn hand op die van Peter.
'Ik wou dat ik je kon geloven. Maar dat is wel erg moeilijk na wat ze met de katten hebben gedaan.'
'Ze denken niet na! Ik ben nu enkele maanden wijkjongeren-coördinator. Ik weet nu min of meer wat er aan de hand is. We moeten gewoon zorgen dat die jongens iets zinnigs te doen krijgen, dat ze ergens naartoe kunnen. Voor de speeltuin zijn ze intussen te groot.'
'Nog altijd met je eens. In het leger kregen we ook vaak van die jongens die thuis voortdurend domme dingen deden. Zodra ze wisten wat discipline was, werden het prima soldaten.'
'Wat is discipline?' vroeg Lieze.
'Gehoorzamen, doen wat je moet doen, bevelen uitvoeren. Zoiets.'
'De Snakes luisteren naar niemand. Die willen alleen maar kinderen en grote mensen pesten. En ze pakken dingen van je af.'

'Denk eens na, Lieze. Jij hebt net nog heel hard gewerkt. Waarom?'
'Omdat ik mee hiernaartoe wilde.'
'Zie je wel, je had een doel. Maar welk doel hebben de jongens van de Snakes? Ze horen altijd maar weer dat de wereld één grote rotzooi is. Er is geen werk. Lees de krant maar. Iedereen steelt, ook de officieren van de politie. Iedereen sjoemelt. Ook ministers en hoge heren. Waarom zouden zij het dan niet doen? Iedereen maakt ruzie, ook de politici, ook de vakbonden en de werkgevers. Waarom zouden zij dan ook niet hun tanden laten zien?'
Peter klonk plots erg opgewonden. Lieze fronste haar wenkbrauwen.
'Je praat nu alsof de Snakes je vrienden zijn?'
'Nee, Lieze! Niet de Snakes. De jongens die nu met een slang op hun jack lopen wel. Komen jullie graag naar de zolder?'
De Kattenman keek van de een naar de ander. Hij begon te snappen wat Peter bedoelde.
'Natuurlijk!'
'En waarom?'
Lieze gaf haar broer een duwtje.
'Zeg ook eens iets. Peter is kierewiet geworden, denk ik. Waarom we graag komen? Omdat we er kunnen spelen en leuke dingen doen.'
'Waarom doe je die thuis niet?'
'Alleen maar ik en mijn broer? Dat is lang niet zo leuk.'
'Misschien willen die jongens ook wel bij elkaar komen om prettige dingen te doen? Maar dan moeten ze wel een plek hebben.'
'Niet bij jou thuis!'
De stem van Lieze sloeg over.
'Je vader wilde het ook al niet!'

Net op dat ogenblik kwam er een jonge verpleegster binnen. 'Zo, bezoek? Meneer Delarme, ik moet ze helaas wegsturen. Tijd voor uw verzorging.'
'Komen jullie nog terug?'
'Ja, natuurlijk. Ik heb nog niets op dat gips getekend. Als iemand in de klas een arm of zo breekt, tekenen we daar altijd gekke dingen op. Op het gips, natuurlijk.'
'En ik weet al wat je zult tekenen', zei Peter.
'Dat denk ik niet!' zei Lieze en kneep slim haar ogen dicht.
'Een poes', raadde Peter.
'Lekker mis. Ik wist dat jij zou denken dat ik aan een poes zou denken, dus heb ik gauw iets anders gedacht. Hihi! Ik teken er een boot op.'
'Dan teken ik er wel een poes op', zei Joren grootmoedig. 'Ik zou toch al een poes getekend hebben. Dag, meneer.'
'Hé, jij! Je zou toch Kattenman tegen me zeggen. Vind je dat geen prima naam voor een vreemde, gekke, oude man, zuster?'
De verpleegster knikte.
'Je bent geen vreemde, gekke, oude man! Ik wou dat je mijn opa was!'
En zonder blikken of blozen sloeg Lieze haar armen om de hals van de Kattenman en gaf hem een klapzoen op zijn wang.
Onderweg naar huis bleven Peter, Lieze en Joren staan voor het hol van de Snakes.
'We zouden dit misschien kunnen opknappen?' vroeg Peter.
'Misschien krijg ik wel het geld bij elkaar om het te kopen en Jan en Gerrie kunnen erg goed klussen.'
'Ik maak de gordijnen!' besliste Lieze.
Peter antwoordde niet. Er zat een denkrimpel in zijn voorhoofd. Ze liepen in stilte verder.
'Peter, ik vind het niet leuk als je niets zegt!'

'Sorry. Je hebt gelijk. Als je met een dame op stap bent, moet je met haar praten.'
'Wees maar stil', lachte Joren. 'Lieze is geen dame.'
'Maar ik word er misschien een', kaatste Lieze terug. 'En dat kun jij niet zeggen!'
Peter bracht hen tot voor de deur van hun flatgebouw en liep toen weer in de richting van het vergeten straatje.
'Ik denk toch dat ik met hem ga trouwen', dacht Lieze hardop.
'Met Peter?'
'Ja, hij is best leuk en hij heeft later tenminste geen weide om met prikkeldraad af te spannen.'
'Maar hij laat je wel uitrekenen hoeveel stof je nodig hebt om gordijnen te maken.'
'Gekkerd!' zei Lieze. 'Die maak je toch gewoon van lakens?'

[11]

De dagen van de week kropen voorbij. Waarom was het niet meteen zaterdag? Dan mochten ze weer met Peter naar de Kattenman. Intussen maakten Lieze en Joren elke avond vlijtig hun huiswerk. Zelfs pa, die niet gauw wat merkte, maakte zich lichtjes zorgen.
'Nee,' zei mama, 'de kinderen zijn niet ziek. Ze willen alleen geen risico lopen. Slechte cijfers betekenen dat ze zaterdag niet naar Peter kunnen.'
Ze zei het heel zachtjes, maar Lieze had haar oren weer op steeltjes staan.
'We mogen, hoor!' fluisterde ze gauw tegen haar broer. 'We mogen. Zaterdag.'
Tien minuten later liet ze haar schrift zien aan mama, die goedkeurend over haar haren streelde. Het zag er allemaal prima uit.
'Mag ik nog eventjes naar de katten?' vroeg Lieze daarom heel gauw.
'De katten?' vroeg papa. 'Wat is er toch steeds met die katten?'

Hij liet zijn krant zakken en Lieze nestelde zich als een vleiend poesje tegen hem aan. Ze vertelde hem het hele verhaal van de Kattenman, de Snakes en mevrouw Vansant die elke dag wat kattenvoer klaarmaakte.
'Mevrouw kan het niet zelf naar de katten brengen. Dus heeft Peter gevraagd of wij dat willen doen.'
'En dus ga jij nu die katten te eten geven?'
'Samen met Joren. Wie goed is voor dieren is ook goed voor mensen, is het niet, papa?'
'Lieze?'
'Ja, papa?'
Eventjes werd ze ongerust.
'Die witte muis, kijk je daar ook nog naar om?'
Lieze keek haar vader nieuwsgierig aan. Kon je nu echt zo dom zijn?
'Ja natuurlijk. Ze krijgt elke dag vers water. Ik heb een nest voor haar gemaakt in een bloempot en ze heeft net nog een korstje kaas gegeten.'
'Dat is prima. Maar Lieze...'
'Ja, papa?'
Was het gevaar nog niet geweken?
'Eén ding moet je weten. Een kat komt hier niet in huis.'
'Een kat?'
Papa knikte. Toen pakte hij de kin van Lieze beet en keek diep in haar ogen.
'Ik ken je toch wel een beetje?'
Lieze knikte ja en dacht nee.
'Heb je er nog nooit één keertje aan gedacht om zo'n poes mee naar huis te brengen?
'O!' deed Lieze verrast. 'Papa, je weet toch wel dat ik niet alles doe wat ik denk? Jij toch ook niet?'
Papa kuchte toen mama hem wat spottend aankeek.

'Ik wilde je alleen maar zeggen dat we hier geen katten kunnen hebben. Gesnapt?'
'Jawel. Geen katten. Eén kat is geen *katten*, toch?'
In een wip stond Lieze weer op de vloer. Papa vond niet meteen een antwoord.
'Is het goed als we thuis zijn tegen de tijd dat het voetbal begint op de televisie?'
'Hoe kun jij weten wanneer het voetbal begint?' vroeg papa.
'Als er geen enkele man meer op straat loopt,' zei Lieze, 'dan begint het.'
Als een wervelwind verdween ze naar buiten. Haar vader keek haar hoofdschuddend na.
'Die redt het wel', zuchtte hij. 'Ook zonder de weide van boer Sander.'
Joren had geen zin om te hollen. Waarom had zijn zus zo'n haast? Die katten konden echt wel wachten. Hij zag haar al niet meer. Ze stond waarschijnlijk met mevrouw Vansant te kletsen. Toen Joren bij het vergeten straatje kwam, snoof hij. Wat was dat voor een vreemde geur? Het was net alsof er ergens wat brandde. Brand? Waar dan? Hij zette het nu wel op een lopen, recht naar de jungle. Helemaal aan het andere eind van de jungle wolkte dikke rook. En liepen daar niet… Een steekvlam. Nu zag hij het duidelijk. Ze droegen leren jacks en hij zou gezworen hebben dat een van de schimmige gestalten die van Lange Leo was.
Toen snapte hij het opeens. Ze staken de jungle in brand. Omdat ze de katten niet te pakken konden krijgen, wilden ze hen nu met vuur uit hun schuilplaats drijven of zelfs levend verbranden.
Radeloos keek de jongen om zich heen. Wat moest hij doen? De brandweer bellen? Peter erbij halen? Waar was Lieze nu?
'Joren?'

'Bert! Marcel! Brand! Help met blussen. We moeten met takken op de vlammen slaan.'
'Ben... je... he... le... helemaal gek?' stotterde Marcel. 'Het brandt daar als de hel!'
Het vuur laaide intussen inderdaad erg hoog op. Het geknetter van de vlammen vertelde de rest.
'De katten!' zuchtte Joren. 'De katten zitten daar nog ergens.'
'In dat vuur?'
Joren antwoordde niet meer. Hij rende het vuur tegemoet, rukte een tak van een struik. Toen was Lieze er opeens weer.
'Joren, kom terug! Kom terug! Bert, jij woont vlakbij. Loop snel naar huis en bel de brandweer.'
Bert rende weg. Lieze waagde zich een eind op het weggetje.
'Joren, kom toch terug!'
Met een angstige miauw schoot een kat naar de muur en wipte erop.
'De Snakes!' zei Lieze. 'Zij hebben het vuur aangestoken.'
'Dat meen je niet, durven ze dat?' vroeg Marcel.
'De Snakes durven alles, maar ik denk dat ze hiervoor in de gevangenis komen.'
Joren stond nog altijd wanhopig met een tak om zich heen te slaan. Het hielp niet. Het vuur kroop geniepig verder door het dorre gras onder de struiken, vlammetjes likten omhoog naar het uiteinde van de grashalmen, sprongen over naar de takken van een struik, die een tuil van vuur werd.
'Kom mee, Joren!' smeekte Lieze.
De jongen moest wegspringen toen een andere struik vuur vatte.
'Au!' gilde Joren toen de vlammen langs zijn handen likten.
Lieze deinsde terug.
'Kom mee, Joren! Nu! Ik wil dat je meekomt!'
Joren rukte zich los toen ze probeerde zijn arm vast te hou-

den. Hij bleef maar met zijn tak zwaaien, joeg vonken op die droog gras vlam deden vatten. Voor Joren had kunnen reageren, was hij door het vuur omsingeld.
'Joren!' huilde Lieze.
Het meisje wist helemaal niet meer wat ze moest doen. Met gillende sirene stopte een brandweerwagen. Brandweerlui sprongen naar buiten en sleepten een brandslang uit de zijkant van de wagen. Een ander ging met een schuimblusser aan de slag en probeerde zo snel mogelijk bij Joren te komen. Een nieuwe struik vloog naast hem in brand. Joren schrok en struikelde.
'Nee!' gilde Lieze en sloeg haar handen voor haar gezicht. Toen ze opkeek, hees een brandweerman haar broer overeind en sleepte hem weg.
'De katten!' krijste de jongen en sloeg om zich heen.
De brandweerman stond naast Lieze. Die vloog haar broer om de nek.
'Die katten zijn al weg. Kijk!'
Een vierde kat sprong op de muur rond de tuin van het vervallen huis. Drie zaten er al, in elkaar gedoken.
Toen hoorden de kinderen de sirene van nog een brandweerwagen.
'Hé jullie, weg daar!'
Ze hadden het politiebusje niet horen aankomen door het vergeten straatje. Een agent liep haastig in de richting van de kinderen. De brandweerman was alweer aan het blussen.
'Hoe komt dat vuur hier?' vroeg de agent.
'De Snakes', zei Lieze. 'Ik weet het zeker.'
'Ja, ik heb ze zien weglopen', snauwde Joren. 'Leo was er ook bij. Er zaten zwarte vegen op zijn gezicht.'
De agent greep de twee kinderen bij de arm.
'Meekomen. Dat moeten jullie eens haarfijn uitleggen.'

Er stonden intussen een heleboel mensen bij het paadje dat naar de jungle leidde.
'Moet je dat zien!' zei een vrouw. 'Zulke jonge kinderen nog en dat steekt dan de hele boel zomaar in brand.'
Joren keek naar de grond. Dachten die mensen echt dat zij het vuur hadden aangestoken?
'Nee, mevrouw, dat hebben wij niet gedaan!' zei Lieze.
Maar toen begon ze bang te huilen. Opeens was ze niet meer het meisje dat overal een antwoord op wist, het meisje dat zich overal uit kon redden. De greep van de agent werd nog vaster, net alsof hij bang was dat de kinderen weg zouden lopen.
De tweede brandweerauto was ondertussen ook gearriveerd. Vier mannen sprongen eruit, rolden slangen af, vroegen mensen om ruim baan te maken. Ongeveer de helft van het braakland stond intussen in brand.
'Geen gevaar voor de huizen. Dit hebben we zo weer onder controle', zei de brandweercommandant.
De slangen waren intussen aangesloten op de waterleiding van de straat. De brandweerlui liepen de jungle in en spoten brede waaiers van water op het sissende vuur. Nog geen tien minuten later bleef er alleen maar een smeulende, zwartgeblakerde woestenij over. Eén helft van de jungle was verdwenen.
'Zo,' zei de agent toen ze in het politiebusje zaten, 'vertel eerst maar eens waar jullie wonen.'
'Daar!' wees Joren door het raampje naar het flatgebouw.
'Ja, natuurlijk, maar hoe heet je en wat is je adres?'
Lieze had haar gedachten weer enigszins bij elkaar zodat ze, af en toe wat nasnuffend, kon vertellen wat er gebeurd was.
'Maar wij hebben het echt niet gedaan!' hield ze vol. ''Zoiets zouden we nooit doen. Wij zorgen voor de katten.'

'Jaja,' knikte de agent geduldig, 'maar wil je wel alles duidelijk uitleggen. Ik weet niets af van Snakes en katten. En vertel om te beginnen eens waarom jullie hier waren.'
Joren voelde zich als een vis in een aquarium. Om de haverklap wierpen mensen een blik in het politiebusje. Hun lippen bewogen wanneer ze wat zeiden. Lieze gaf hem een zetje.
'Hij was er eerst.'
'Ja, ik heb Marcel en Bert gevraagd om te helpen bij het blussen.'
Het begon de agent te dagen. Toen herinnerde hij zich ook dat de vorige dagen iemand op het bureau over die Snakes had gepraat. De Snakes vormden blijkbaar een bende jonge schoffies met bromfietsen. De commissaris had gezegd dat ze die jongens in de gaten moesten houden.
'Ja,' knikte Lieze toen hij iets zei over bromfietsen. 'Dat zijn ze. En ze willen die katten daar weg. Waarom? Dat mag Joost weten.'
'Wie is Joost?' vroeg de agent. 'Ook een vriendje van jullie?'
Voor Lieze wat kon zeggen, sprong Joren op. Eindelijk. Daar was Peter.
'Hij weet alles van de Snakes. Hij is wijkjongerendinges...'
Waarom kon hij dat moeilijke woord nog altijd niet onthouden?
Peter tikte op het raampje en knikte toen de agent naar hem keek. De man klapte zijn boekje dicht. Dit had geen zin. Hij geloofde intussen dat de kinderen niets met de brand te maken hadden. Hij wilde alleen wel een rapport hebben.
Ze stapten uit.
'We hebben een leeg benzineblik gevonden', zei een brandweerman die net bij het politiebusje aankwam. 'Ginds, aan het andere eind. Het vuur is duidelijk aangestoken. De duivel mag weten door wie.'

Lieze vroeg zich af of de agent nu ook zou vragen wie 'de duivel' was.
Dat wist hij blijkbaar wel.
'Peter! Ze hebben dat vuur aangestoken om de katten...'
'Rustig maar', zei Peter. 'De katten zijn veilig.'
'Waarom doen ze het?' vroeg Joren.
Peter zuchtte en haalde zijn schouders op. Hoe legde je nu aan zo'n jongen uit dat die katten niet belangrijk waren voor de Snakes, maar dat ze op die manier wilden afrekenen met een hele wereld waarin ze zich niet prettig voelden?

[12]

'Er is een speciale bijeenkomst!' zei Lieze stilletjes terwijl ze naar een briefje keek dat ze in de brievenbus had gevonden toen ze die ochtend bijzonder gewillig brood was gaan halen.
De hele familie De Groote zat aan de ontbijttafel. Papa keek naar de koppen in de krant. Joren slikte haastig een stuk brood door en stak zijn hand uit naar het briefje.
Komen jullie vanmorgen naar de Zaterdagzolder? We steken de koppen bij elkaar en willen graag jouw mening horen.
Peter, wijkjongerencoördinator.
Wat klonk dat plechtig!
'Gaan we?' vroeg Joren.
'Waar willen jullie naartoe?
Papa geeuwde en vouwde de krant dicht.
'Naar Peter,' zei Joren. 'Er is een speciale vergadering om de koppen bij elkaar te steken.'
'O! Dat is vast heel belangrijk.'
'Ja, natuurlijk!' zei Lieze met overtuiging. 'Het kan alleen

gaan over de katten van de Kattenman of over gordijnen voor de dokters.'
'Of over de Snakes', vulde Joren aan.
'En jullie moeten erbij zijn?'
'Dat staat toch in de brief?' vroeg Lieze.
'Goed, maar vergeet niet wat ik gezegd heb, Lieze. Geen katten hier in de flat!'
'Waarom denk je nu dat ik katten zou meebrengen, papa?' Lieze keek verongelijkt.
'Omdat je met jou nooit weet', glimlachte papa.
'Lekker spannend, niet?' grijnsde Lieze.
'Ja hoor!' zuchtte mama. 'Heel spannend. Als ik het goed heb, zien we jullie vandaag alleen om te eten?'
'Gemakkelijk toch?'
'En je komt ook nog thuis slapen?'
'Zeker weten!' riep Joren. 'We willen nergens anders slapen.'
'Vriendelijk toch?' vroeg Lieze.
Toen had ze genoeg van het gesprek.
Ze wilde echt weten wat Peter voor bijzonders te vertellen had.
'Kinderen?'
Als papa dat woord van stal haalde, was het opletten geblazen.
'Ik vind het leuk dat jullie van dieren houden, dat jullie oudere mensen helpen en zo.'
Stilte.
'Maar… vinden jullie niet dat het allemaal wat gevaarlijk wordt? Brand, mensen die hun benen breken, politie, een motorbende…'
'Papa, dat kunnen wij toch niet helpen', zei Joren haastig. 'En Peter wil wat doen voor de Snakes. Hij wil ze ook laten spelen en…'
'Niet spelen', zei Lieze. 'Hij wil ze dingen laten doen die ze

prettig vinden. Hij koopt misschien wel een huis voor ze en ik mag de gordijnen bedrukken.'
'Mooi', knikte mama. Ze keek haar echtgenoot aan. 'Zie je nu dat het niets uithaalt?'
'Echt hoor!' verdedigde Joren zijn zus.
'Zo, dan loopt het allemaal wel los. Maar kijk uit.'
Lieze was de deur al uit. Joren zuchtte. Ze had niet eens haar muts meegenomen.
Bij de uitgang van het gebouw zag hij Lieze staan. Ze keek naar de overkant van de laan. O nee! Wat moesten die twee daar? Ze zaten nonchalant op hun bromfiets en rookten een sigaret. Zodra ze de kinderen in het oog kregen, gingen ze wat meer overeind zitten.
'Gaan we terug?' fluisterde Joren.
Te laat. Toen pas zagen ze de twee andere jongens die tegen de gevel hadden gestaan en nu de terugweg afsneden.
'En? Nog iets te vertellen?'
Joren keek om en deed alsof hij verbaasd was.
'Ik heb het tegen jou, kleintje!'
Joren greep de hand van zijn zusje. Ze beefde, net als hij.
'Eén ding wil ik je zeggen. Als je nog een keertje klikt tegen de politie, pakken we je. Gesnopen?'
Joren knikte. Hoe wisten de Snakes dat ze met de politie hadden gepraat? Had de politie ze ondervraagd?
'Rennen, Joren!' fluisterde Lieze. 'Nu!'
De twee kinderen sprongen van het trottoir en begonnen te hollen. De Snakes aan de overkant trapten hun bromfietsen op gang. Dat kon leuk worden. Ze zouden die twee kleuters de schrik van hun leven bezorgen.
'Blijf op het gras van de middenberm! Daar mogen zij niet rijden.'
Dat leken de Snakes echter niet te weten. Ze wipten het voor-

wiel van hun machine over de rand en raasden over het gras. Bij het standbeeld flitsten ze langs de kinderen heen en maakten een scherpe bocht. Aarde en gras spoten achter hun wielen de lucht in.
'Willen jullie spelen?'
'Nee, nee!' hijgde Lieze. Ze probeerde de laan helemaal over te steken. Maar nu waren het de twee andere Snakes die kwamen aanrazen.
Gelukkig kwam bij het verkeerslicht een eind verderop het verkeer weer op gang. Zo konden de kinderen tussen twee auto's door glippen, het vergeten straatje in.
'Blijven rennen. Door de jungle naar de speeltuin en dan het klimrek op!' riep Joren naar zijn zus. Voor een keer deed ze wat hij zei. Nooit hadden ze harder gelopen. Hop, door de zandbak waar niemand speelde, over het volleybalveld. De Snakes hadden opnieuw de achtervolging ingezet. Hun motoren gierden.
'Klimmen!' schreeuwde Joren.
Zelf zat hij al twee sporten hoog. Toen wurmde hij zich tussen de sporten door naar het midden van het klimrek.
'Denk je misschien dat zij niet kunnen klimmen?' kreunde Lieze.
'Daarvoor moeten ze hun bromfietsen laten staan en dat doen ze niet!'
Joren hoopte maar dat hij gelijk had. Waarom was hij niet groot en sterk? Waarom kende hij geen jiujitsu of karate? Dan had hij die kerels een lesje kunnen leren. De bromfietsen cirkelden als horzels rond het klimrek. De Snakes slipten door de bochten, lachten en schreeuwden naar elkaar. Toen keken ze opeens om, lieten een heel ander soort geschreeuw horen en verdwenen, de rijweg op, langs de oever van de roeivijver.

'Hoi!' zei iemand.
Joren keek om.
'Ook hoi!' kraste hij. Wat was er met zijn stem? Die leek wel in zijn keel te haperen.
'Drie keer hoi!' lachte Lieze. 'Heb jij die Snakes weggejaagd?'
'Nee,' zei de jongeman, 'ze gingen er gewoon vandoor. Ik kwam alleen maar kijken wat er aan de hand was.'
'Grwwwaaaf!' deed de hond die naast hem stond en met zijn stompje staart wiebelde. Het was een groot, zwart en vreselijk harig dier.
'Ik denk dat ze bang waren van… hem daar', zei Lieze. 'Bijt hij?'
Ze kropen uit het klimrek.
'Nee hoor! Black is de braafste bullebak die je je kunt wensen. Hij gebruikt zijn tanden alleen om te eten. Maar dat hoef je niet aan iedereen te vertellen. Hij ziet er wel een beetje gevaarlijk uit, vind je niet?'
Joren knikte. Toen klopte de jongeman op de flank van Black en de hond ging zitten.
'Dank je', zei Lieze. 'We moesten ergens naartoe en toen kwamen die twee. En nu moeten we er nog altijd naartoe, maar we zullen wel te laat zijn.'
Ze zuchtte gelaten.
'Maak je maar geen zorgen', zei de jongeman met de hond.
'Ik blijf in de buurt voor het geval ze terugkomen.'
Joren probeerde te glimlachen, maar dat lukte niet zo best.

[13]

'Ik denk dat ik mijn haren laat verven', zei Lieze.
Joren keek op. 'Je haren? Verven?'
'Ja. Misschien laat ik ze ook knippen. Die prachtige lange haren, goud en kastanjebruin, zijn te opvallend. De Snakes herkennen me meteen.'
Joren moest toegeven dat daar wat in zat, maar toen ze bij Peter aanbelden, wist zijn zus nog niet welke kleur ze zou kiezen.
'Daar hebben we de brandstichtertjes!' grapte Peter.
'Hé zeg, ga ons nou niet plagen, we moeten nog bekomen van de schrik. We zijn net aangevallen door de Snakes. We moesten het klimrek in. Gelukkig was er een man met een grote hond...'
'Black heet hij. De hond', vulde Lieze aan.
'En die heeft ze op de vlucht gejaagd. Ze zaten achter ons aan op hun motorfietsen. Ze gaan ons doodmaken omdat we de politie verteld hebben over dat vuur.'
'Jeetje. Hoe zijn jullie ontsnapt?'

'Heb ik al gezegd. We zijn het klimrek in geklommen. Ze konden niet bij ons, maar we waren wel erg bang.'
'Jullie hebben wel een kop chocolade verdiend', zei Peter.
'Is er chocolade? Zomaar?' vroeg Lieze.
'Niet zomaar, maar omdat het zo'n belangrijke dag is. We moeten een boel dingen beslissen.'
'Dat gaat het best met chocolade', knikte Lieze.
'Zijn de anderen er al?'
'Alleen de grootste kinderen. Dit wordt iets voor stevige meisjes en jongens.'
'Laat maar komen!' lachte Lieze. 'Peter, vind je ook dat ik mijn haar moet verven?'
Ze wachtte niet eens op een antwoord, maar stormde de trap naar de zolder al op. Daar liep ze tegen een meisje op. Ze was groot en slank en had groene ogen en lange, zwarte haren.
Lieze hapte naar adem.
'Wie ben jij?' vroeg ze.
'O, jij moet Lieze zijn! Ik ben Gerrie, de vriendin van Peter.'
Het meisje had een mooie stem waarin iets van zilver doorklonk.
'O, zei Lieze, een tikkeltje afgunstig. 'Hoe weet je wie ik ben?'
'Peter heeft al een heleboel verteld over een meisje met rode...'
'Goud en kastanjebruin!' zei Lieze kort. 'Over jou heeft hij nooit verteld.'
'Jawel!' zei Joren. 'Die avond bij de Kattenman. Toen heeft hij gezegd dat hij een plannetje had, samen met Gerrie en met een of andere Jan.'
'Wat een geheugen!' lachte Peter, die achter hen was komen staan.
'Valt wel mee', zei Joren bescheiden.

Op zolder stond de chocolade in een grote thermoskan te wachten.
'Gerrie kennen jullie dus al', zei Peter toen Lieze en Joren hun kop chocola hadden gekregen.
'Doet zij ook mee?' vroeg Lieze.
Ze besefte nu al dat ze geen partij was voor dat mooie meisje. Nee, ze kon haar trouwplannen maar beter vergeten.
'Ja,' zei Peter, 'zullen we gaan zitten?'
Er waren nog vijf andere kinderen: Werner, Hassan, Katrien, Geert en Margo.
Het bleef een hele tijd stil. Lieze begon zich al af te vragen wanneer ze de koppen bij elkaar zouden steken. Net op dat ogenblik ging de bel.
'Bezoek!' zei Gerrie. 'Dat moet Jan zijn.'
Gerrie stommelde de trap af. Lieze zuchtte. Toen hoorden de kinderen hoe een hond kort blafte. Harde nagels krabden op de trap.
'Loop maar naar boven, Black! Brave jongen.'
Lieze en Joren keken elkaar aan. Black?
Jan was inderdaad de jongen die hen van de Snakes had verlost. Black liep eerst naar Peter, wreef zijn snoet tegen hem aan en kwispelde met zijn stompe staart. Toen liep hij langs de kinderen, netjes het rijtje af.
Toen hij bij Joren kwam, ging hij zitten en tilde een voorpoot op.
'Hij kent me!' zei de jongen enthousiast. 'Lieze, hij kent me.'
'Hij kent alle kinderen die hij gered heeft', zei Lieze en greep de poot vast.
Jan keek lachend toe.
'Ik ken jullie ook, niet?'
'Iedereen kent haar. Geen wonder!'

'Met dat haar van...' grijnsde Hassan en lachte zijn bruine gezicht in rimpels.
'En de Snakes ken je nu ook! Ze wilden ons echt pakken, is het niet?'
'Zeker weten', zei Jan. 'Ik was blij dat Black bij me was.'
Jan ging naast Lieze zitten. Peter klapte in zijn handen. Het werd stil.
'We gaan verhuizen!' zei hij toen.
Als de hele bende Snakes op de zolder was verschenen, hadden de kinderen niet verbaasder kunnen kijken.
Joren was de eerste die wat kon zeggen.
'Ga je weg?'
'Nee hoor. Maar we gaan weg van deze zolder. We krijgen meer ruimte. We krijgen ons eigen huis! Een huis helemaal voor ons alleen.'
Het werd opnieuw stil.
'Ik weet niet of ik weg wil!' zei Lieze. 'De Zaterdagzolder is toch prachtig?'
'En als we het nu nog beter kunnen maken?'
'Kan niet!' zei Hassan heel beslist.
'Ik snap het!' zei Joren plots. 'Je wilt naar dat huis dat nu het hol is van de Snakes?'
'Was!' zei Peter. 'Nu is het ons huis.'
'Hoe kan dat?'
'Jullie weten dat de supermarkt vlak bij het vergeten straatje ligt? Wel, de eigenaars wilden een reusachtig winkelcentrum bouwen. Daarom kochten ze alle vervallen huizen uit het straatje op.'
'Zie je wel?' zei Lieze. 'Ik wist het! Dus is dat huis toch niet van jou?'
'Laat me uitspreken, Lieze. Het is alweer anders. Die huizen zijn ooit gebouwd door een heel belangrijke architect en nog-

al wat mensen vonden het geen goed idee om ze af te breken. Dus wilden ze die huizen laten beschermen. De mensen van de supermarkt hadden geen zin in jarenlang ruzie maken en zochten een andere plek, buiten de stad. Toen ik hoorde dat die plannen niet doorgingen, ben ik naar het stadsbestuur getrokken. Waarom zou de stad die huizen niet terugkopen? In een ervan zouden wij dan onze intrek kunnen nemen...'
'En de Snakes dan?' vroeg Katrien wat ongerust.
'Die zijn als slangen weggekropen', lachte Hassan, die het allemaal bijzonder grappig leek te vinden.
'Maar wat zitten we hier te kletsen!' zei Peter en sprong op. 'Zullen we een kijkje gaan nemen?'
'Ik weet niet goed wat ik moet zeggen', aarzelde Lieze.'Ik vind de Zaterdagzolder nog altijd... Nee, ik weet het niet.'
'Dat overkomt je ook niet vaak, denk ik!' plaagde Gerrie.
Een kwartier later stond de hele groep voor het huis. Peter duwde de deur op een kier. Wat angstig stapten ze naar binnen. Toen keken ze ademloos rond. Dit was hun huis! Hun eigen huis!
Ze zagen niet dat overal het oude behang van de muren hing, dat er ramen stuk waren en dat de meeste deuren half in hun hengsels hingen. Ze merkten niet dat een van de zolderingen doorgezakt was. Ze keken alleen maar naar de prachtige ruime kamers, de brede statige trap, de wilde mooie tuin achter het huis.
'Woehahahaha!' zei Werner. 'Supercoolgaaf!'
'Het wordt helemaal geweldig als het opgeknapt is. Want dat moeten we zelf doen.'
'Wij?'
'Niet alleen natuurlijk. De hele buurt zal komen helpen. Ik heb een brief geschreven voor jullie ouders. Daarin staat wat we gaan doen. Ik vraag wie wil helpen en hoe ze denken te

kunnen helpen. Ik breng de brieven zelf en ik hoop dat jullie je ouders een beetje aanporren. Iedereen kan iets doen. En dit huis moet een huis worden van iedereen die hier woont. Maar wij moeten beginnen.'
'Moeten we de ramen ook repareren?' vroeg Katrien. 'Kunnen wij dat dan?'
'Je leert het gauw!' zei Jan.
Hij keek wat onzeker naar Peter, merkte Lieze. Black blafte instemmend.

[14]

Het werd een spannende week. Intussen ging het steeds beter met de Kattenman. De kinderen brachten om beurten voer naar de katten. Ze wachtten vol ongeduld op de volgende zaterdag om te kunnen beginnen met het opknappen van hun nieuwe huis. Maar toen Lieze en Joren op donderdagmorgen naar school gingen en ze de korte weg door de jungle wilden nemen, zagen ze daar een vrachtwagen staan met het logo van de stad op de portieren. Vier arbeiders waren druk in de weer met palen, planken en prikkeldraad.
'Wat doen jullie?' vroeg Lieze aan een van de mannen, die net een sigaret opstak.
'Zie je dat niet? We zetten een omheining rond dat stuk grond.'
'Waarom?' wilde Joren weten.
'Dit is grond van de stad. Een of andere gek heeft de struiken in brand gestoken. Nu mag niemand er nog in.'
'Wij moeten erin!' snauwde Lieze. 'We moeten! De katten van de Kattenman moeten te eten krijgen.'

'Moet je maar aan de burgemeester gaan vertellen, daar kunnen wij niets aan doen', schokschouderde de man en hij pakte zijn spade weer.
Toen ze die middag na schooltijd naar huis liepen, waren de mannen weg, maar de schutting stond er. Stevig en onwrikbaar.
'Ik vraag me af of ze de katten hebben weggejaagd.'
'Dat zien we zo wel. We gaan naar huis en halen voer. Dan proberen we ze te lokken', besliste Joren.
'Als we naar huis gaan, moeten we eerst huiswerk maken. En ik heb niet alleen taal, ik moet ook nog sommen maken en Franse woordjes leren. De juf had weer een van haar buien.'
'Lieze! We moeten eerst naar huis. Die katten lopen niet weg als ze er nog zijn. Thuis kunnen we Peter bellen om te vragen wat we moeten doen.'
Joren stapte vastberaden in de richting van hun flatgebouw. Lieze schrok eventjes, maar ging toen achter hem aan.
'En gebruik je goede hersens!' zei hij toen ze de flat binnenstapten.
Lieze knikte. Ze hoopte alleen maar dat mama geen moederschap meer had. Het viel mee.
De goede hersens werkten. De sommen leken zichzelf op te lossen, ze dreunde haar Franse woorden op alsof ze in Parijs geboren was en het taalboek kende geen geheimen voor haar.
'Ik ben klaar!' zei ze na een tijdje triomfantelijk.
Joren had nog één les te leren. Lieze belde ondertussen Peter op. Hij wist al van de afsluiting. Hij zou even een kijkje gaan nemen.
'En jullie boterhammen?' vroeg mama.
'Mogen we niet samen met papa eten?' vroeg Lieze. 'Ik heb nog geen honger.'

'Ik ook niet,' loog Joren. 'Maar ik zou wel een appel lusten. Lekker en gezond.'
'Is er wat?' vroeg mama achterdochtig.
'Ja', zuchtte Joren. 'Nu hebben ze rond de jungle een afsluiting geplaatst.'
'Peter komt', zei Lieze.
'Heeft die jongen echt niet beters te doen?' vroeg moeder.
'Mama hij is wijkjongeren...' Lieze aarzelde weer.
'Coördinator!' vulde Joren aan. 'Gerrie en Jan en hij moeten zorgen dat de kinderen uit de buurt geen kattenkwaad uithalen. Dat doen ze niet als je altijd met die kinderen praat en zo. En daarom gaan wij naar Peter.'
'Dat snap ik niet', zei mama. 'Moet je daarvoor naar hem toe? Ik praat toch ook met jullie. Ik ben de hele tijd voor jullie in de weer!'
'Daarom halen wij ook zo weinig kattenkwaad uit', zei Lieze en ze liep naar de keuken om het koude soepvlees te halen dat voor de katten was bestemd.
'Mama, doe geen moeite, je kunt het toch niet van haar winnen', zei Joren toen zijn moeder hoofdschuddend op een stoel neerviel. Hij ging achter zijn zusje aan.
'Dit is ook weer de schuld van de Snakes!' mopperde Lieze toen ze voor de afsluiting stonden.
Peter kwam aanfietsen.
'Een tegenvaller, niet?' zei hij en tikte op de schutting.
'Zeker voor de katten', zei Joren.
'Ik heb al een plannetje.'
Lieze knikte tevreden.
'De katten kunnen in de tuin van ons huis wonen', zei Peter.
'Dat is een goed plan', knikte Joren. 'Maar hoe komen ze daar?'

'Daar heb ik ook al een plan voor, maar daarover kan ik je nog niets vertellen.'
'Niet eerlijk!' riep Lieze. 'Eerst maak je ons nieuwsgierig en dan zeg je...'
'Ik wil eerst nog met iemand praten. Hé, kijk eens wie we daar hebben!'
Tussen de planken door kon Lieze een kat zien die wat onwennig heen en weer liep.
'Kom, kom!' lokte Lieze het dier. Ze wriemelde met haar vingers tussen de planken.
De kat keek op, maar bleef waar ze was. Pas toen Lieze een blikken bord onder de afsluiting schoof en daarop brokken koud vlees strooide, kwam ze dichterbij. Ze miauwde eventjes en begon toen te schrokken.
'Jij had honger, is het niet?' fluisterde Lieze. Ze liet haar vinger over de gestreepte vacht glijden.
De kat sidderde en zwaaide met haar staart. Na enkele minuten keek ze op, likte met haar roze tong langs haar snor en stapte bedaard en verzadigd weg. Nog geen tien tellen later was er al een andere. Peter raakte niet uitgekeken op de dieren die netjes hun beurt leken af te wachten om te komen eten. Ja, het moest te doen zijn om die katten in de tuin van het huis te houden.
Er was nog wel heel wat werk aan de winkel. En er zou nog stevig gepraat moeten worden.
Het begon op zaterdag. De kinderen waren weer op bezoek bij de Kattenman.
'Ik heb stiften meegebracht!' schalde Lieze. 'Waar zal ik een tekening maken?'
Even later kwam ook Gerrie aanzetten met Hassan. Jan verscheen zonder hond, maar met Werner en Katrien.
Lieze werd achterdochtig. Dit was niet normaal.

'We hebben een nieuw huis', zei Hassan zomaar. 'Er zijn wel honderd kamers en in de tuin mogen we zelf sla en tomaten planten.'
'En het belangrijkste,' zei Peter, 'is dat we iedereen uit de buurt daar een plekje willen geven.'
'Niet de Snakes!' zei Lieze beslist.
'Toch wel!' Peter draaide zich naar De Kattenman. 'Ik vind dat we die jongens iets te doen moeten geven om ze van de straat te houden. Anders doen ze alleen maar domme dingen.'
'Ik vind dat hun ouders dat zouden moeten doen', antwoordde de Kattenman. Zijn stem klonk hard.
'O, dat vind ik ook!' zei Peter. 'Maar wat als die dat niet doen of niet kunnen? Jij weet toch beter dan wie ook hoe gevaarlijk het is als jonge mensen niets om handen hebben.'
'Je doet maar!'
De Kattenman keek koppig. De kinderen snapten niet wat er aan de hand was.
'Nee,' zei Gerrie, 'zo gaat het niet. We hebben jou nodig.'
'We zullen ze wel zo gek krijgen dat ze meehelpen om het huis op te knappen. Dan kunnen ze daar 's avonds knutselen, biljarten, tafelvoetballen, muziek draaien en misschien zelfs lezen', legde Peter uit.
De Kattenman hoestte. 'Heb je misschien een miljoen euro gewonnen?'
'Nee, maar we krijgen het huis van de stad op voorwaarde dat we het opknappen. Een groepje vrienden van mijn vader, wil helpen. Er is een aannemer bij en die wil materiaal leveren. Maar de reparaties moeten we zelf uitvoeren. De mensen van de buurt hebben me al beloofd te komen helpen. Ik heb hun een brief geschreven. En soms gebeuren er vreemde dingen. Spullen zoals een biljarttafel kan ik van een kroeg-

baas krijgen, die er vanaf wil. Ook die moeten wat opgeknapt worden, maar dat lukt wel. De tuin wordt opnieuw aangelegd door alweer een vriend van mijn vader die zo'n bedrijf heeft. Maar dan is het onderhoud weer voor ons. Snap je dat we je nodig hebben? Al was het maar om voor de katten te zorgen die een plekje krijgen in de tuin en het huis.'
De Kattenman zuchtte diep.
'Daarmee heb je me natuurlijk. Wat wil je dat ik doe?'
'Als het huis in orde is en we nemen het in gebruik, moet er 's avonds iemand zijn die de boel in de gaten houdt.'
'En daarvoor had je aan mij gedacht? Je maakt een grapje!'
'Nee,' zei Gerrie. Ze lachte. 'Dat is helemaal geen grapje. We hebben erover gepraat. We denken dat jij daarvoor de geknipte man bent.'
'Dat is wel het toppunt! Eerst laten de Snakes me voor dood achter en dan denken jullie dat ik maar beter hun oppas kan worden?'
Ze knikten allemaal.
'Je zult toch naar het huis moeten komen', zei Lieze. 'Jij bent de enige die de katten kan brengen.'
Toen kwam de verpleegster naar binnen om te vragen of het wat zachter kon.
'En nu iedereen de deur uit!' zei de Kattenman. 'Ik moet nadenken.'
'Nadenken?' zei Hassan toen ze op straat stonden. 'In mijn vroegere land zei mijn opa altijd dat je denken moest overlaten aan muilezels. Die hebben een veel grotere kop.'
Weer schaterde de jongen het uit.
'De Kattenman is er nu over aan het denken of hij wil meedoen of niet.'
'Ik denk dat ik het antwoord al weet!' zei Peter. 'Maar ik denk ook dat jullie nu naar huis kunnen en dat jullie morgen

met emmers, dweilen, spons en stofdoek naar ons nieuwe huis moeten komen. En ik denk ook dat jullie best vriendjes mogen meebrengen.'

[15]

De volgende ochtend stormden wel twintig kinderen door het huis om het schoon te maken. Peter, Gerrie en Jan zouden elk een verdieping voor hun rekening nemen, samen met een groepje kinderen.
'Aan één ding hebben we niet gedacht!' zuchtte Jan toen iedereen naar zijn verdieping wilde vertrekken. 'Een kleinigheid!'
Gerrie mepte met haar vlakke hand tegen haar voorhoofd. 'Een vloeibare kleinigheid?'
Jan knikte. Ze hadden aan alles gedacht, maar niet aan water. In verlaten huizen wordt de waterleiding uiteraard afgesloten. Maar hoe kun je nu schoonmaken zonder water?
'Misschien is er ergens een waterput?' opperde Peter.
De hele groep zwermde uit naar de tuin. Werner vond de put bijna meteen. De emmers werden gevuld en doorgegeven.
Pas toen ze echt aan de slag gingen, merkten de kinderen hoe smerig en vervallen alles was. Raamkozijnen waren door het vocht uitgevreten, deuren konden niet meer dicht,

her en der kraakte de vloer vervaarlijk als je er overheen liep.
'Zeg eens,' zei Katrien na een uurtje, 'waarom doen wij dit eigenlijk? Waarom komen de Snakes niet helpen als het toch ook een beetje hun huis wordt?'
Peter, die net probeerde een raam aan de achterzijde open te wrikken, keek op. 'Gelijk heb je, Katrien. Maar... schoonmaken zagen ze niet zitten.' Het bleef eventjes stil.
'Net wat mijn vader zegt. De brave mensen draaien altijd op voor de rotzakken.'
'Ho!' zei Peter. 'Je moet me wel laten uitspreken. Ik weet namelijk zeker dat ze willen helpen.'
'Heb je ze dat gevraagd?' vroeg Lieze.
'Ja, ik heb het gevraagd. Schoonmaken? Nee, dank je. Maar timmeren bijvoorbeeld, dat wel. Zeker drie van hen willen echt werken zoals ze dat noemen. Ze zitten op de technische school en hebben dingen geleerd die best nuttig zijn. En dan nog wat. Vinden jullie het niet leuk wat we hier nu doen?'
'Ja, maar...'
'Het blijft werken, bedoel je?'
'Ja. En we maken dit huis toch ook in orde voor de Snakes.'
Jan had in de deur staan luisteren, zonder dat iemand het had gemerkt.
'Dat is toch geweldig!' zei hij opeens. 'We maken dit huis voor hen. Kijk niet zo verbaasd. Dat is net wat we moeten doen. Kijk eens naar Black. Black is een lieve hond, maar hoe komt dat? Niet alle honden van zijn ras zijn zo lief, sommige verscheuren iedereen die in hun buurt komt.'
De kinderen stonden ademloos te luisteren. Toen Black de kamer in kwam lopen en naast zijn baasje ging zitten, brak de spanning even.
'Zie je wel hoe lief hij is? Dat komt omdat hij eten krijgt, in een warme mand mag slapen, ik met hem ga wandelen, met

hem speel en hem nooit klappen geef. Daarom is hij vriendelijk tegen mij. Maar als hij meer klappen zou krijgen dan eten, als hij altijd weer overal zou worden weggejaagd en je zou dan proberen in zijn buurt te komen...'
'Dan zou hij bijten', knikte Katrien.
'En waarom zou hij dat doen?' vroeg Jan.
'Omdat hij denkt dat je hem ook klappen zou geven', antwoordde Mark.
'Juist. En dat is met de Snakes ook zo. Die denken dat iedereen het op hen gemunt heeft, dat niemand om hen geeft, dat iedereen ze weg wil. Dus worden ze lastig.'
'En als wij dat huis opknappen en zij mogen komen, dan weten ze dat er toch iemand wat voor hen doet en worden ze weer vriendelijk', zuchtte Katrien.
'Zal de Kattenman ook helpen?'
'Zeker weten!' zei Peter.
'Ze zijn er!' schreeuwde Mark opeens.
De jongen stond bij het raam.
'Wie? De Snakes?'
'Nee, de katten! Ik heb er zeker één in de tuin gezien. Daar! Die grijze streepjeskat.'
'Een goed voorteken', zei Peter. 'Een huis waar katten graag zijn, is een goed huis.'
Toen ze die avond smerig en doodmoe naar huis gingen, zag het huis er heel anders uit. De ramen waren nog stuk, er zaten nog gaten in de muren en op sommige plaatsen kon je door de plankenvloer in de kamer beneden kijken, maar het was er wel al netjes.
'Wanneer mag ik beginnen met gordijnen maken?' geeuwde Lieze toen ze in bed lag.
Ze droomde eigenlijk al, maar dat wist ze niet.

[16]

Een week later wist Peter het heel zeker. Het was hopeloos. Zelfs met de hulp van sommige Snakes lukte het niet. Toen Peter de ziekenhuiskamer binnenstapte, merkte de Kattenman het meteen aan zijn gezicht.
'Ben je alleen?'
'De kinderen komen wat later. Ik wil met je praten.'
De Kattenman glimlachte.
'Ik had het wel verwacht. Het huis?'
'Ja, we hebben ons te pletter gewerkt en het is weer toonbaar, maar daar houdt het ook mee op. Vloeren herstellen, zolderingen bepleisteren, muren behangen, dakpannen vervangen, deuren... Nee, het lukt niet.'
Peter zuchtte en ging zitten. Hij zag er afgetobd uit.
'En die jongens? Helpen zij je?'
'Ja, er komen er drie af en toe een klus opknappen. Ze zijn heel enthousiast. De ene heeft alle sloten hersteld, een ander heeft ramen ingezet, maar zonder vakmensen komen we er nooit. Ik heb mezelf erg overschat.'

Het bleef stil. De Kattenman kuchte.
'Zeg eens eerlijk, Peter, geloof je echt dat het wat wordt met dat huis? Ik bedoel, geloof je echt dat je de Snakes ermee van de straat kunt houden en...'
'Eerlijk zeg je? Wel, ja, ik geloof het nog altijd.'
'Waarom?'
'Je katten. Ze zijn net als die katten van jou. We moeten wat hebben dat we ze kunnen laten zien.'
'Nu kan ik je even niet volgen.'
'Als ik tegen je katten lieve geluidjes maak en ze zo probeer te lokken, blijven ze op het muurtje zitten. Als ik met een schoteltje rammel en ze zien dat er iets te eten valt, komen ze. Met die jongens is het ook zo. Ik kan ze vertellen dat ze later wat krijgen als ze zich nu goed gedragen, maar of dat helpt? Ze hebben zich al zo vaak bedrogen gevoeld.'
De Kattenman glimlachte.
'Het doet me denken aan de Golfoorlog, de eerste. We lagen al wekenlang met de boot ergens in een kleine haven. We hadden niets te doen, we wisten niet eens of we ooit iets zinnigs te doen zouden krijgen in die rotoorlog. Maar we moesten blijven waar we waren. Wacht lopen, slapen, wacht lopen, slapen. Het was om gek van te worden. Op een ochtend, bij zonsopgang, klonk er opeens een schot. Eén maar. Ik rende mijn kajuit uit. Op het dek zag ik een van de jongens zijn automatisch geweer vergrendelen. "Wat is er? Op wie heb je geschoten?" vroeg ik. "Op een kat", zei hij. "Ze ligt daar." Ik dacht dat hij gek geworden was. Zijn ogen stonden heel vreemd. Ik greep hem bij zijn arm en keek. Op de kade lag een dode kat. "Waarom deed je dat nou?" vroeg ik hem. Hij keek me met lege ogen aan. Ik vroeg me af of hij me wel herkende. "Omdat ik iets moest doen", zei hij. "Ik wist niet meer of ik nog bestond of niet. Ik wilde bewijzen dat ik er

nog was. Als ik die kat raak, dacht ik, leef ik nog. Toen heb ik geschoten." Meteen daarop begon hij als een kind te huilen, van eenzaamheid en ellende. Nu snap ik eindelijk wat hij wilde zeggen. Daarom wilde ik weten of jij nog echt gelooft dat het wat wordt. En als jij dat gelooft, wil ik het ook geloven.'
Peter had ademloos geluisterd.
'Je wilt dus helpen als je uit het ziekenhuis komt?'
De Kattenman knikte. 'Ik wil meer doen, zelfs nu ik hier nog lig. Ik heb een invasie voorbereid. Heel militair, natuurlijk. Ik heb manschappen, zij hebben spullen, ze wachten op een teken om binnen te vallen.'
Peter knipperde met zijn ogen. Was de Kattenman gek geworden?
De Kattenman lachte. 'Ik heb je gezegd dat mijn mannen vroeger vonden dat ik een prima vent was. Toen we allemaal uit het leger weggingen, de een met pensioen, de ander omdat hij het niet meer zag zitten, hebben we een feestje gebouwd. En toen hebben we elkaar gezworen dat we samen nog iets zouden doen wat echt zin had. Ik heb gisteren een paar van mijn oude gabbers opgebeld. Zij zouden op hun beurt een stel anderen waarschuwen. Wat dacht je van overmorgen? Tien kerels die van aanpakken weten, die zelf een huis hebben gebouwd of iets dergelijks, die verwarmingsketels op gang kunnen krijgen, die zowat alles kunnen. En ze brengen hun eigen gereedschap mee. Zelfs een betonmolen. Heeft die aannemer, die vriend van je vader, al materiaal geleverd?'
Peter schoot overeind. 'Nee, maar dat gebeurt ten laatste morgen, al moet ik alle planken, tegels, buizen en draden op mijn rug naar het huis slepen.'
De Kattenman lachte.

'Nog één ding!'
'Ja?'
'Dit is een project van de hele wijk en de hele wijk zal er ook voordeel bij hebben. Juist?'
Peter knikte.
'Wel, het enige wat wij vragen, is dat ook de ouders komen helpen. Op die manier laten zij de kinderen zien dat ze weten wat er gebeurt en dat ze het belangrijk vinden.'
'Ik heb bij iedereen een brief in de bus gestoken en...'
'Dat is één ding. Belangrijk is dat er een antwoord komt.'
'Daar zorg ik nu voor. Ik ga meteen op pad. Dank je, meneer Delarme. Echt bedankt.'
'Kattenman! Zo wil ik genoemd worden. Kattenman.'
In de gang klonk het opgewonden getater van kinderen. Zij kwamen de Kattenman halen voor een ommetje in zijn rolstoel.

[17]

Diezelfde middag nog werd er weer een vergadering gehouden. Peter had net verteld over de plannen van de Kattenman. Zelfs Lieze was er stil van geworden.
'Maar hij wil wel dat wij ook wat doen. Hebben jullie al met jullie ouders gepraat? Ik heb nog niet veel gehoord van die kant.'
De kinderen keken elkaar aan.
'Ze hebben ons gezegd wat ze willen doen! Wij moesten het doorvertellen.' Katrien was heel verbaasd.
'We kunnen wafels bakken en verkopen. Mijn moeder en die van Jens zeggen dat je daarmee nogal wat geld in het laatje kunt krijgen', stelde Werner voor.
'Mijn moeder wil ook meedoen', knikte Katrien. 'En verkopen doen we allemaal. Drie euro voor tien wafels. Dat was bij de scouting van mijn broer ook zo.'
'En de vaders?'
'Mijn vader heeft gezegd dat hij wel met hout wil werken', zei Hassan. 'daar is hij heel goed in.'

'Mijn opa was stukadoor. Nu is hij met pensioen, maar hij vreet bijna zijn krant op van de zenuwen. Mijn vader heeft gezegd dat hij beter hier kon komen helpen.'
'Mooi zo,' zei Peter. 'Zijn er nog voorstellen?'
Peter luisterde vol ongeloof.
Er was nog een politieagent die liever loodgieter was geworden en die overal vrienden ging helpen bij het bouwen. De vader van Lieze en Joren zou twee bestelwagens organiseren. Samen met zijn vriend zou hij afbraakwerken afschuimen en bruikbare dingen voor een prikje kopen of liever nog gratis meenemen. Bij een gesloten dorpsschooltje stonden een boel sterke, maar oude tafels en stoelen die hij zo mocht hebben. Met wat schuren en een lik verf, zouden ze schitterend staan in het nieuwe huis.
Ondanks al die hulp wist Peter dat er nog een heleboel problemen zouden opduiken, maar hij voelde zich vreselijk gelukkig toen hij die avond nog een kijkje ging nemen in het vergeten straatje. Waarom hij dat deed, wist hij niet. Maar toen hij de sleutel in het slot stak, schrok hij. De deur was niet afgesloten. Tegen de afsluiting stonden enkele motorfietsen.
'Is er iemand?'
Peter roffelde op de verveloze deur. Ze kriepte open. In de donkere ingewanden van het huis hoorde hij stemmen. Hij snoof de geur van tabak op. Plots sloeg hij verrast zijn handen voor zijn ogen. 'Ik ben Peter Demeester! Doe die verrekte lamp uit. Ik zie geen steek.'
Hij zette op de tast een stap vooruit.
'Blijf waar je bent!'
De stem uit het duister klonk bijtend scherp.
'Ik wil alleen wat praten.'
'Ik niet!'

'O, ben je hier alleen?' vroeg Peter. 'Of ben jij de enige die hier zijn bek mag opendoen?'
Resoluut stapte Peter op het schijnsel af. Jammer dat hij niets zag. Hij kon zo ergens tegenaan lopen of struikelen. Toen knipte iemand in een hoek een aansteker aan.
'Geen licht heb ik gezegd! Heb je soms modder in je oren?'
De scherpe lichtstraal zwaaide in de richting van het gelige lichtje van de aansteker. Opgelucht knipperde Peter met zijn ogen.
'Hé zeg, Leo, we zijn je slaafjes niet!'
'We hadden afgesproken dat iedereen...'
'Bek dicht of ik timmer hem dicht!'
De jongen met de zaklamp vloekte gemeen.
'Dat zet ik je betaald', snauwde hij tegen Peter.
'Komop man, doe toch gewoon. Laten we gaan zitten en wat kletsen. Ik wilde jullie toch al komen opzoeken. Dat komt dus mooi uit! Zal ik wat kaarsen halen?'
De aansteker werd gedoofd. Peter probeerde zijn stem zo ontspannen mogelijk te laten klinken.
'Kijk uit!'
Iemand gilde. Peter draaide zich bliksemsnel om. De zware staaflamp in de handen van Leo zoefde omlaag. De lichtstraal leek de duisternis in tweeën te klieven. Peter stapte terug en weerde de slag af. Wat was hij blij dat hij die jiujitsutraining had gevolgd. Hij had de arm van Leo te pakken.
'Au!'
De staaflamp kletterde op de vloer.
'Je bent een lafaard, Leo! Als je wilt vechten, doe je dat eerlijk. Nu moet ik je als een zak vuilnis op straat zetten.'
'Stik jij!'
'Na jou!'
Peter wrong Leo's arm op zijn rug en greep de jongen bij zijn

kraag. 'Ophoepelen, jij! Je bent opnieuw welkom als je afgekoeld bent.'
'Ik krijg je wel!' brulde Leo.
Met een snelle zwaai draaide Peter zijn tegenstander om, liet zijn armen onder de oksels van Leo doorglijden en greep hem nu helemaal bij zijn nek. Hij gooide Leo letterlijk de deur uit, zag hoe de jongen struikelde en op zijn knieën neerviel. Peter probeerde de knoop in zijn keel weg te slikken.
Op de tast vond hij de kaarsen.
'Wie had er een aansteker?' vroeg hij dan.
'Hier!' zei een van de jongens. 'Je hebt gelijk. Leo overdrijft. Ik vind dat het nu wel genoeg is geweest.'
De kaarsen vlamden op.
Het gesprek begon.

[18]

'En, Seppe, hoe gaat het met de kleuterschool?'
Leo stopte bij het frietkraam van Dikke Miel dat langs de roeivijver stond. Seppe doopte net een friet in een klodder tartaarsaus.
'Het is een soort jeugdclub, Leo. Ik ga er net naartoe. Eerst nog een frietje eten. Peter heeft me gevraagd om enkele oude tafelvoetbal…'
'Wat zei je? Je gaat ernaartoe?'
'Ja, waarom niet?'
'Je hebt het wel over de club van die afgelikte apostel, dat dokterszoontje!'
'Je lult maar, Leo. Die afgelikte apostel heeft jou anders wel netjes op straat gegooid.'
Julot stopte bij het frietkraam. Even later was Benny er ook. Dikke Miel zuchtte. Waarom hoepelden die schoften niet op? Zolang zij daar stonden, kwam er geen mens. Ze verknoeiden de hele handel.
'Hoi!'

'Jij komt toch niet vertellen dat je ook naar dat klotehuis gaat?'
Julot grijnsde wat ongemakkelijk. Vroeger zou hij gevraagd hebben of Leo gek was geworden, maar daar was die avond verandering in gekomen. Hij durfde nog niet zeggen dat hij in zijn tas een naambord had zitten dat hij had gemaakt voor het Kattenkot. Die naam hadden ze met zijn allen gekozen. Kattenkot. Klonk lekker. Benny keek alsof hij er niets mee te maken had.
'Is het waar dat die bruine, oude gek daar de baas wordt?'
'Vraag het hem zelf, Leo. Ik ga ervandoor. Seppe?'
'Vergeten jullie soms wie ik ben? En vergeet je ook dat die ouwe ons al de hele tijd heeft gepest?'
'Leo, hou je gewauwel maar voor jezelf. Ik ga.'
Seppe startte zijn motor.
'Julot, ik heb Peter gezien. Die minivoetbalploeg komt er. De slager heeft al shirts en broekjes besteld. De dokter geeft vier ballen en van de stad mogen we op donderdagavond de sporthal gebruiken.'
Leo keek alsof iemand met een hamer op zijn kop had geslagen. Wat was er in die twee weken met zijn vrienden gebeurd?
'Zijn jullie nu door die katten gebeten of zo? Luister eens, ik heb iets voor ons geregeld.'
De jongens keken naar hun motoren.
'Nee, niet meer Leo.'
'Ik heb een manier gevonden om schatten te verdienen. Hé!'
Toen Seppe wilde wegrijden, greep Lange Leo hem bij zijn jasje.
'Poten thuis, Leo! Ik heb met jouw plannetjes geen barst meer te maken.'
Seppe rukte zich los, gaf gas en knalde weg.

'Ik ga ook', zei Julot. 'Ik moet nog...'
Hij klapte het vizier van zijn helm neer. Benny deed hetzelfde.
'De politie houdt je in het oog, Leo. Mijn vader heeft het gehoord. Als die oude man een klacht indient, ga je de bak in.'
'Rot op met je politie! Wat heb ik ermee te maken als die vent zijn poten breekt?'
'Ik ga, Leo. Je zou beter meegaan.'
'Ik val nog liever dood. Jullie doen maar. Maar kom niet janken achteraf. En vergeet je luiers niet. En die klojo krijg ik nog wel te pakken. Vertel het hem maar! Verdomme, ik laat dit niet gebeuren.'
Leo sprong op zijn motor, stampte die op gang en scheurde weg.
Benny keek hem na. Hij kon maar beter naar het Kattenkot gaan. Wie weet wat Leo allemaal in zijn hoofd had! Hij was in staat om... Nee, hij moest nu ook niet overdrijven. Brand stichten op een stuk braakgrond was één ding, een huis in brand steken was nog wel andere koek. Leo had ooit gezegd dat hij het huis zou platbranden, maar het doen?
Benny reed verder. Dikke Miel glimlachte.
Leo raasde intussen door de straten in de buurt van het goederenstation. Wat een lafaards, die zogenaamde vrienden van hem! Goed dan. Hij zou zijn boontjes zelf doppen en als ze zagen dat hij zijn zakken vol geld had, zouden ze wel gauw terugkomen.

[19]

'Papa komt me zo dadelijk ophalen. Ik zou liever hebben dat jullie vanavond thuis bleven', zuchtte mama. 'Maar dat zijn jullie niet echt van plan, neem ik aan?'
'Er moet nog veel gebeuren in het Kattenkot!' zei Lieze.
'We kunnen echt wel ons eigen bed vinden', zei Joren. 'En ik heb de sleutel van de flat. Die raakt dus niet zoek. Jullie kunnen rustig gaan.'
'Gaan wel, maar rustig? Hoe weet ik of jullie op tijd naar huis komen?'
'Vertrouw je ons niet, mama?'
'Jawel, Lieze, natuurlijk vertrouw ik jullie. Jullie vinden het dan toch niet erg als ik rond acht uur even bel?'
'Nee hoor', zei Joren. 'We zijn om acht uur thuis, poetsen onze tanden en gaan naar bed. Beloofd.'
Lieze gaf haar moeder een snelle zoen, wachtte tot Joren hetzelfde had gedaan en rende toen de deur uit. Papa en mama gingen naar een duf feest. Zo konden zij lekker naar het Kattenkot.

Peter en Gerrie waren net een kamer op de tweede verdieping aan het behangen. Het huis was niet meer te herkennen. De 'troepen' van de Kattenman en de hulptroepen uit de buurt hadden wonderen verricht. Een van de Snakes was net een stopcontact op de muur aan het schroeven.
'Let op dat je geen schok krijgt!' zei Lieze.
'Ik kijk wel uit,' zei Benny. 'En deze draden zijn nog niet echt aangesloten.'
'Ja', zei Peter, 'het zal heel anders worden als we echt elektriciteit hebben. De leidingen worden eind van de week gekeurd en dan hebben we overal licht.'
Hij stopte de kleine schroevendraaier weer tussen zijn tanden en neuriede een liedje van de laatste cd van Springsteen. Hij werkte ingespannen door. Lieze vond het nog altijd een tikkeltje griezelig dat de Snakes kwamen helpen. De jongen die nu aan de elektriciteit werkte, was een van de twee Snakes die op die bewuste ochtend de tas van de Kattenman hadden gepikt.
'Kunnen wij ook wat doen?' vroeg Joren.
'De katten te eten geven', zei Gerrie.
Ze zag er zalig bezweet uit. Joren vroeg zich af of zij en Peter… Als dat niet zo was, wilde hij best met haar trouwen. En Lieze dan met Peter?
'Ik heb wat restjes gekregen van de slager. Er zit een scherpe schaar in mijn tas om die fijn te knippen. Zorg je er wel voor dat ze allemaal wat krijgen? Bonzo is nogal gulzig.'
Bonzo was de naam van een nieuwe gast, een grote pikzwarte kater die uit het niets was opgedoken en meteen de baas was gaan spelen.
'Komt in orde!' salueerde Joren.
Hij liep de trap af. In de bijkeuken vond hij het eten en de schaar. De katten zaten al te wachten op een laag muurtje. Ze

waren helemaal niet meer zo schuw, maar ze hielden er nog niet van om te worden opgepakt. Strelen mocht wel en als ze te eten kregen, kwamen ze met een kort jankend geluid zelfs eventjes langs je benen schurken. Maar zodra ze hun buikje vol hadden, verdwenen ze weer tussen de struiken.
Lieze en Joren keken toe hoe de poezen elk hun bordje leeg aten. De duisternis kroop hoger en hoger in de lucht.
'Hoi, jullie!'
Peter hing uit het raam.
'Het wordt te donker om door te werken. Sluiten jullie de achterdeur en komen jullie dan nog eventjes mee opruimen?'
De kamer zag er intussen prima uit.
'Dit wordt de boekenkamer. Er komen stoeltjes en tafeltjes. En daar zetten we de boekenrekken. We zullen een hele hoop boeken hebben.'
'En moet zo'n krokodilator daar allemaal voor zorgen?' vroeg Lieze, die het moeilijke woord nog steeds niet kon onthouden.
Lachend gingen ze naar huis.
Pas toen ze al in de badkamer stonden, merkte Lieze het. Ze was haar jas vergeten.
'Jakkes, mijn jas!'
'Wat is er met je jas?'
'Vergeten in het Kattenkot!' zuchtte Lieze. 'Ik moet die jas halen. Ik heb hem morgen nodig voor school.'
'Je kunt er niet in. De deur zit op slot.'
'We kunnen de sleutels toch halen? Vooruit, Joren, trek je kleren weer aan. Dan kun je me beschermen. Ik zie best dat je bang bent dat er wat met me gebeurt.'
Joren knikte. Ja, hij wist het. Tegen Lieze was geen kruid gewassen.

[20]

Leo wachtte tot het echt donker was. Hij had zijn bromfiets onder de spoorwegbrug gezet. Nu slenterde hij achteloos langs de rij geparkeerde auto's. Af en toe tastte zijn hand naar het portier. Klik! Deze wagen was niet op slot. Een Corsa? Daar kon hij mee overweg. Zijn vriend, de garagehouder, zou nogal opkijken als hij de eerste week al een kraak kon zetten. Misschien kon hij met de opbrengst wel een nieuwe motor kopen?
Hij glipte achter het stuur. Een korte ruk. Het stuurslot knakte. Dan contact maken. Klein kunstje bij die wagentjes. Opgelet. Daar kwam iemand. Leo leunde achteloos in de stoel, net alsof hij op iemand wachtte. De voorbijganger lette niet eens op hem. Leo voelde het zweet in zijn nek prikken. Dit was wel spannend.
Hij verbond de twee draadjes. De motor sprong aan. Gaspedaal in... Waar zat de knop voor de verlichting? Even later priemden twee lichtstralen door de duisternis en weerkaatsten in de spiegel van de wagen voor hem.

Ontkoppelen, gas geven, langzaam van de stoeprand weg rijden, doen alsof er niets aan de hand was. Alles verliep naar wens. Leo juichte. *Money, here I come!* Toen keek hij in de achteruitkijkspiegel. Verd... Iemand rende achter hem aan en zwaaide met zijn armen. De eigenaar van de auto? Als die de politie belde, was hij nog niet jarig. Het gevoel van triomf ebde weg. Hij scheurde rechtsaf de ringweg rond de stad op. Net voorbij het volgende kruispunt zag hij de agent die met een rode staaflantaarn gebaarde dat hij aan de kant moest gaan staan. Pech! Gewoon brute pech dat er die avond verkeerscontrole was. Die agenten konden nog niet op de hoogte zijn. Het was een gewone controle. Hij vertraagde. De agent zette al een stap vooruit. Leo gaf opnieuw vol gas, slingerde zijn auto tussen twee andere agenten en maakte een brutale bocht naar links. Hij ging de tegengestelde richting uit en zag het blauwe zwaailicht van een politiebusje flikkeren. Nee, met zo'n ding kregen ze hem niet te pakken. De Corsa raasde verder over de ringweg. Een verkeerslicht sprong op oranje. Wat deed die kerel? Hij vertrok te vroeg! Leo probeerde te remmen. De auto begon te slingeren op de tramrails. Nee! Een knal. Gerinkel van glas.
Leo zag een andere wagen op zich afkomen. Hij rukte wanhopig aan het stuur, raakte de wagen toch, tolde weg naar rechts. De Corsa schuurde langs een muur. Metaal krijste, glas versplinterde, het portier langs de bestuurderskant klapte open. Nog een dreun. De Corsa leunde tegen een verkeersbord. Eén ogenblik bleef Leo als verdoofd zitten. Toen sprong hij uit de auto. Nu pas hoorde hij hoe de toeter van de auto klagerig loeide. Nee, hij had nergens pijn. Verdomme, daar had je de politie!
Gebukt rende Leo weg, opnieuw de rijweg, de middenberm en een vluchtheuvel over. Zo kregen ze hem nooit. Hij keek

rond. Waar was hij? Hij schoot een zijstraatje van de ringweg in, dook weg in een portiek. Hij hoorde wel stemmen, maar er kwam niemand. Tien minuten later stond hij voor een nieuwe afsluiting.

[21]

Lieze en Joren kregen de sleutel van mevrouw Demeester. Peter was er niet, hij was uit met Gerrie. Lieze voelde toch een prikje jaloezie. Joren ook.

'We brengen de sleutel meteen terug!' beloofden ze lichtjes hijgend.

Eigenlijk was het best spannend om zo laat nog op straat te zijn. Joren duwde de gedachte aan de Snakes meteen weg. Nee, die jongens waren voortaan hun vrienden.

De sleutel draaide moeilijk om in het slot.

'Laat mij!' zuchtte Lieze. 'Je hebt toch echt twee linkerhanden.'

Bijna ging Joren haar geloven, want toen Lieze de sleutel omdraaide, ging de deur meteen open.

'Donker, niet?' zei hij. 'Kunnen we je jas zo wel vinden?'

'Ik weet toch waar ik hem gelegd heb?' snibde Lieze.

Maar algauw moest ze toegeven dat mama gelijk had als ze beweerde dat Lieze zo slordig was dat ze ooit zichzelf nog zou verliezen.

Eén keer had mama zelfs gezegd dat slordigheid ooit haar dood zou worden.
'Wel?' vroeg Joren ongeduldig.
'Laat me toch denken! Ik ben binnengekomen...'
Gerinkel van glas deed de kinderen verstijven. Wat was dat? Het geluid kwam van de achterkant van het huis. Joren voelde letterlijk hoe zijn nekharen overeind gingen staan. Lieze pakte zijn arm.
'We moeten...'
Een gedaante stond zwart afgetekend tegen de tuindeur. Toen ging alles heel snel. Een hand kwam naar binnen. De deur zwaaide open. De indringer knipte een aansteker aan. Joren bewoog en wilde weglopen, maar struikelde over een stoel. Hij ging languit tegen de vlakte en kroop in elkaar van angst en pijn.
'Wat?'
Een schorre stem. Toen voelde Joren een hand in zijn nek.
'Laat me gaan! Laat me gaan!' gilde de jongen.
Hij hoorde hoe zijn zus zachtjes stond te huilen.
'Bek dicht! Je laten gaan? Dat had je gedacht. En dan hollen jullie naar de politie die me hier komt oppakken.'
Het werd Joren te veel. Ook hij begon zachtjes te snikken.
'Ik weet niet wie je bent. Echt niet. Ik zal niets zeggen!'
'Bek dicht, zeg ik!'
De deur naar de tuin knarste onverwacht. De wind? Tocht? Toen klonk er een korte gevaarlijke klik.
'Weet je wat dit is?'
Het vlammetje van de aansteker spiegelde in het lemmet van een lang, slank mes.
'Een mes?' kreunde de jongen.
'Juist! En daarmee snijd ik je aan reepjes zodra je een poot verzet. Jij daar, kom bij hem staan.'

Lieze schuifelde dichterbij. Ze huilde zachtjes. Nooit zou ze nog dingen laten slingeren. Hoe had mama kunnen weten dat haar slordigheid haar dood zou worden?
'Ik ben hier!' fluisterde ze.
De onbekende liet Joren los en zwaaide met de aansteker in haar richting. De vlam verlichtte één tel lang zijn gezicht. Lieze herkende hem. Lange Leo?
Weer knarste er iets bij de tuindeur. Het leek wel alsof daar iemand bewoog. Leo dook tegen de muur in elkaar en schoof in de richting van de tuindeur. Het mes in zijn hand blonk. Joren en Lieze sloegen hun armen om elkaar heen. De zwarte schaduw van Leo werd weer zichtbaar voor de tuindeur. Hij wilde duidelijk naar buiten. Toen klonk er een hels geschreeuw. Katten jankten en krijsten. Leo molenwiekte, vloekte en viel.
'Weg!' zei Joren en sleepte zijn zus mee naar de voordeur. Ze stonden nog in de deuropening toen iemand hun naam riep. Een sterke lichtstraal verblindde hen.
'Lieze? Joren?'
De stem van Peter? De twee kinderen werden opzijgeduwd door vier agenten die naar binnen stormden. Hun zaklantaarns wierpen een spookachtig licht vooruit.
'Waar is hij?' vroeg Peter.
'Ik denk dat hij in de tuin is. Hij heeft op een van de katten getrapt en is gevallen. Ik heb de kat horen gillen en toen is hij gevallen.'
'Wie is gevallen, Joren?'
'Leo, die van de Snakes!'
'Hij had een mes', kreunde Lieze.
De agenten vonden Leo inderdaad beneden aan de tuintrap. Op de muur zaten, duidelijk afgetekend tegen de nachthemel, vijf katten.

'Zij hebben hem gevangen', fluisterde Lieze ongelovig. 'Het zijn de katten die hem te pakken hebben gekregen.'
De agenten kwamen naar binnen. Ze hadden Lange Leo in de boeien geslagen. Een van de agenten hield het mes tussen zijn vingers. 'Die komt voorlopig niet meer in jullie buurt', bromde hij.
'Hoe wist je dat we, dat hij...'
Lieze stond nog altijd te beven. Joren kuchte zenuwachtig.
'Kalm maar, jullie!' zei Peter. 'Het is voorbij. Echt. Het is helemaal voorbij.'
Hij legde zijn arm om de schouders van de kinderen.
'Ik ben zo bang geweest', kreunde Lieze. 'Ik zal ervan dromen, denk ik! Misschien krijg ik er wel nachtmerries van.'
'Ik dacht dat ik het in mijn broek zou doen!' bekende Joren.
'Hoe...'
'We zochten hem,' zei de agent, 'omdat hij eerst een auto heeft gepikt en daarna een stel andere tot schroot heeft herleid.'
Lieze vond dat de man mooi praatte.
'Iemand heeft hem de steeg in zien lopen', zei de agent nog.
'En toen kwam ik net hier aanrijden', vertelde Peter verder.
'Ik zag de politie voor de deur staan. Die was niet op slot. Ik snapte meteen dat de vluchteling een van de Snakes was en dat die hier naar binnen was geglipt. Dus...'
Joren knikte alsof hij het allemaal had gesnapt. Leo stond nog altijd met gebogen hoofd en afgezakte schouders tussen de agenten.
'We brengen hem nu weg.'
De agenten verdwenen. Leo bewoog zijn schouders alsof hij zich los wilde rukken.
'Maar hoe kwam het dat jij hier ook toevallig was, Peter?' wilde Joren weten.

'Loop eens naar buiten', glimlachte Peter. 'Kijk eens wie er in de auto zit.'
De twee kinderen keken hem verbaasd aan.
'Doe het dan!'
'Wedden dat het de Kattenman is!' zei Lieze en met een juichkreet stormde ze naar buiten.

[22]

'Beste mensen allemaal!'
Peter stak zijn handen in de hoogte, maar het geroezemoes ging door.
'Stilte!' gilde Lieze schel als een sirene.
Dat leek iedereen gehoord te hebben, want er viel een verbaasde stilte.
'Dank je!' zei Peter. 'Beste mensen allemaal, dit is een belangrijke dag voor deze buurt. We hebben met zoveel mensen samengewerkt om van deze ruïne dit prachtige Kattenkot te maken. De een heeft het gedaan met zijn handen, de ander met financiële giften, weer anderen hebben ons materiaal of meubels bezorgd. Toch wil ik ook de mensen van de supermarkt bedanken die ons hebben geholpen door niets te doen en hier geen parkeerterrein of winkelcentrum neer te poten. Meer nog, ze hebben beloofd dat ze het ook de komende jaren niet zullen doen.'
Er klonk gelach en gejoel.
'Ik wil ook heel speciaal al dit jonge volk bedanken. De kin-

deren van de Zaterdagzolder vroeger, maar ook hun nieuwe vrienden. Ja, zo zeggen ze het zelf.'
Een stuk of vijf jongens in leren jasjes hingen wat sloom tegen de muur en wisten met hun houding geen raad.
'Uren, dagen, weken hebben die jongens hier gesleten om het allemaal op te knappen. En ze hebben begrepen dat, als je zelf iets voor elkaar krijgt, je er ook beter de waarde van begrijpt.'
Nu keek iedereen naar het groepje jongens in leren jas. Op hun rug was nog vaag de schaduw te zien van de slang die er vroeger opgenaaid had gezeten.
'En dan is er natuurlijk ook meneer Delarme!'
'De Kattenman!' gilde Lieze opnieuw.
'Juist, de Kattenman, die eigenlijk het startsein heeft gegeven door te zorgen voor de straatkatten die in de buurt wonen. Hij heeft met zijn troepen het huis weer opgebouwd. Hij heeft nu ook beloofd om hier 's avonds aanwezig te zijn en ervoor te zorgen dat iedereen die dat wil hier kan vergaderen, muziek beluisteren, spelletjes doen. Maar ik heb genoeg gepraat. Er staan hapjes klaar en er is wat te drinken.'
'Je bent nog iemand vergeten. Of nee, wel vijf iemanden!'
Lieze lachte toen ze het verbaasde gezicht van Peter zag.
'De katten! Die hebben ook geholpen.'
'Katten zijn geen iemanden!' zei Joren.
Maar toen had hij al zijn aandacht nodig voor de meisjes die met schalen vol lekkers de kamers in kwamen gelopen.
'En Leo?' vroeg Joren, die naast de Kattenman was gaan zitten.
'Die komt wel een keertje goeiedag zeggen. Voorlopig zit hij nog in een verbeteringsinstituut, maar af en toe mag hij naar huis.'
'Waarom willen jullie hem er toch bij?' vroeg de jongen.

'Omdat hij erbij hoort. Hij woont toch ook hier in de buurt?'
Joren haalde zijn schouders op.
'Hij komt wel goed, hoor. Ik geloof dat hij meer waard is dan hij zelf voorlopig weet. Ik denk...'
'Hassan zei dat je dat aan muilezels moet overlaten. Kijk daar eens!'
Buiten, voor het raam, zat een kat. Ze leek het raam te poetsen met haar poten. En ze miauwde, alsof ze zeggen wou: 'Laat me toch naar binnen!'
'Als ik die kat zie die bedelt om binnen te mogen, denk ik aan Leo!' zei de Kattenman en woelde door de haren van Lieze toen die een stevige brok kaas van een schaal viste.